D1190808

Kukum

DU MÊME AUTEUR

Tsunamis, Éditions Libre Expression, 2017

« Où es-tu ? », dans *Amun* (dir.), collectif, Éditions Stanké, 2016

« Noir », dans *Comme chiens et chats,* collectif, Éditions Stanké, 2016

La Belle Mélancolie, Éditions Libre Expression, 2015

« London Calling », dans *Pourquoi cours-tu comme* ça ?, collectif, Éditions Stanké, 2014

Le vent en parle encore, Éditions Libre Expression, 2013

Elle et nous, Éditions Libre Expression, 2012

Une vie à aimer, Éditions Libre Expression, 2010

Un monde mort comme la lune, Éditions Libre Expression, 2009

Envoyé spécial, Éditions Stanké, 2008

MICHEL JEAN

Kukum

Libre
Expression

Catalogage avant publication de Bibliothèque et Archives nationales du Québec
et Bibliothèque et Archives Canada

Titre : Kukum / Michel Jean.
Noms : Jean, Michel, - auteur.
Identifiants : Canadiana 20190022612 | ISBN 9782764813447
Classification : LCC PS8619.E2423 K85 2019 | CDD C843/.6—dc23

Édition : Johanne Guay
Révision et correction : Marie Pigeon Labrecque et Marie-France Léger
Couverture : Marike Paradis
Mise en pages : Chantal Boyer
Crédits photographiques : Carine Valin (46-47, 155) ; Bibliothèque et Archives
    nationales du Québec (172 : Herménégilde Lavoie, 188 : J.H. Ross) ;
    Jeannette Siméon (186, 213) ; Michel Jean (150, 222)
Photo de l'auteur : Julien Faugère

Remerciements
Nous remercions le Conseil des Arts du Canada et la Société de développement des
entreprises culturelles du Québec (SODEC) du soutien accordé à notre programme
de publication.
Gouvernement du Québec – Programme de crédit d'impôt pour l'édition de livres –

gestion SODEC.

Les Éditions Libre Expression
Groupe Librex inc.
Une société de Québecor Média
4545, rue Frontenac
3e étage
Montréal (Québec) H2H 2R7
Tél. : 514 849-5259
www.edlibreexpression.com

Dépôt légal – Bibliothèque et Archives nationales du Québec
et Bibliothèque et Archives Canada, 2019

ISBN : 978-2-7648-1344-7

Distribution au Canada
Messageries ADP inc.
2315, rue de la Province
Longueuil (Québec) J4G 1G4
Tél. : 450 640-1234
Sans frais : 1 800 771-3022
www.messageries-adp.com

À la mémoire de France Robertson.

Apu nanitam ntshissentitaman anite uetuteian
muku peuamuiani nuitamakun
e innuian kie eka nita tshe nakatikuian.

« Je ne me souviens pas toujours d'où je viens
dans mon sommeil, mes rêves me rappellent qui je suis
jamais mes origines ne me quitteront. »

JOSÉPHINE BACON
Tshissinuatshitakana
Bâtons à message

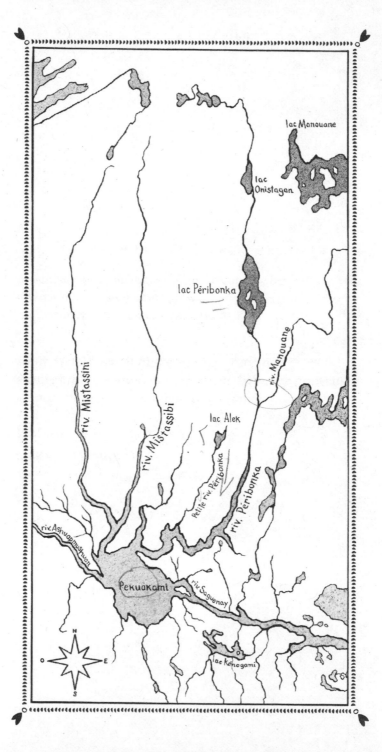

NISHK

(handwritten annotations: "a sense of place"; "Canadienne goose – bustard")

Une mer au milieu des arbres. De l'eau à perte de vue, grise ou bleue selon les humeurs du ciel, traversée de courants glacés. Ce lac est à la fois beau et effrayant. Démesuré. Et la vie y est aussi fragile qu'ardente.

Le soleil monte dans la brume du matin, mais le sable reste encore imprégné de la fraîcheur de la nuit. Depuis combien de temps suis-je assise face à Pekuakami?

Mille taches sombres dansent entre les vagues et cancanent avec insolence. La forêt est un univers de dissimulation et de silences. Proies et prédateurs y rivalisent d'habileté pour se fondre dans le décor. Pourtant, le vent porte le vacarme des oiseaux migrateurs bien avant qu'ils se montrent dans le ciel, et rien ne semble pouvoir contenir leurs jacassements.

Ces outardes apparaissent au début de mes souvenirs avec Thomas. Nous étions partis depuis trois jours, ramant vers le nord-est sans nous éloigner de la sécurité des berges. À droite, l'eau. À gauche, une ligne de sable et des rochers se dressant devant la

(handwritten annotation: "Why begin history here?")

forêt. J'évoluais entre deux mondes, plongée dans une griserie que je n'avais jamais éprouvée.

Quand le soleil déclinait, nous accostions dans une baie abritée du vent. Thomas montait le campement. Je l'aidais du mieux que je le pouvais en le mitraillant de questions, mais lui se contentait de sourire. Avec le temps, j'ai compris que pour apprendre, il fallait regarder et écouter. Rien ne servait de demander.

Ce soir-là, il s'est assis sur les talons et a placé l'oiseau qu'il venait d'abattre sur ses genoux, une bête bien grasse dont il a entrepris d'arracher les plumes en s'attaquant d'abord aux plus grosses. C'est un travail qui exige de la minutie, car si on se dépêche, le bout se casse et reste planté dans la chair. Prendre le temps. C'est souvent comme ça dans le bois.

Une fois l'animal débarrassé de son plumage, il l'a passé dans le feu pour brûler le duvet. Ensuite, avec la lame de son couteau il a gratté la peau, sans l'abîmer, elle et son précieux gras. Puis il a suspendu l'outarde au-dessus des flammes pour la faire cuire.

J'ai préparé du thé et nous avons mangé sur le sable face au lac noir sous un ciel étoilé. Je n'avais aucune idée de ce qui nous attendait. Mais, à ce moment précis, j'ai eu la conviction que tout irait bien, que j'avais eu raison de me fier à mon instinct.

Il parlait à peine le français et moi, pas encore l'innu-aimun. Mais ce soir-là, sur la plage, enveloppée des arômes de viande grillée, du haut de mes quinze ans, pour la première fois de mon existence je me sentais à ma place.

J'ignore comment l'histoire de notre peuple se ter-
minera. Mais pour moi, elle commence par ce repas,
entre la forêt et le lac.

L'Envol. Sérigraphie, Thomas Siméon.

ORPHELINE

Place – space ordered

J'ai grandi dans un monde immobile où les quatre saisons décidaient de l'ordre des choses. Un univers de lenteur où le salut dépendait d'un bout de terre qu'il fallait travailler et retravailler sans cesse.

Mes plus anciens souvenirs remontent à la cabane où nous vivions, guère plus qu'une modeste maison de colons en bois, carrée, avec un toit à deux versants et une seule fenêtre sur sa façade. Devant, un chemin de sable. Derrière, un champ arraché à la force des bras à la forêt.

C'est un terroir rocailleux et pourtant les hommes le traitent comme un trésor, le retournent, l'engraissent, l'épierrent. Et lui ne rend en retour que des légumes fades, un peu de blé et du foin pour nourrir les vaches, qui donnent le lait. La récolte serait bonne ou pas. Cela dépendrait du temps. Le Ciel en déciderait, disait le curé. Comme si Dieu n'avait que ça à faire.

De mes parents, je ne conserve aucun souvenir. J'ai souvent essayé d'imaginer leurs visages… Mon père était grand, costaud et résolu. Il avait des mains puissantes. Ma mère était blonde avec des yeux bleus comme les miens. Elle avait des traits fins, elle était chaleureuse, aimante. Bien sûr, ces deux personnes n'existaient que dans mon esprit d'enfant. Qui sait à quoi ressemblaient mes géniteurs en vérité? Peu importe, en fait. Mais j'aime croire que la force et la douceur les habitaient.

J'ai grandi auprès d'une femme et d'un homme que j'appelais «ma tante» et «mon oncle». J'ignore s'ils m'ont aimée, mais ils ont pris soin de moi. Ils sont morts il y a longtemps et la maison au bout de la rivière à la Chasse a brûlé. La terre par contre est encore là. Les champs prennent toute la place maintenant. Les fermiers, accrochés à leurs lopins, encerclent désormais Pekuakami.

Le vent se lève et vient lécher mon visage usé. Le lac s'agite. Je ne suis qu'une vieille qui a trop vécu. Toi au moins, mon lac, ils ne peuvent rien contre toi. Tu es immuable.

PEKUAKAMI

Le sifflet résonne dans l'air tiède, strident,
ininterrompu.

Dès que le train entre dans la communauté, il hurle
tant qu'il n'en est pas sorti, peu importe l'heure du
jour ou de la nuit. Depuis qu'ils ne peuvent plus aller
sur leurs territoires de chasse, beaucoup de gens se
sont mis à boire. Il est arrivé que certains s'endor-
ment sur les rails. Il y a eu des accidents. Alors les
chefs de train ralentissent et actionnent la sirène
pour que les Innus dégagent des voies et le laissent
poursuivre sa route.

Moi, je préfère l'ignorer. Je me concentre sur
le lac devant moi, ses vagues qui mordent le sable
et viennent mourir en chuchotant à mes pieds. Ce
matin, le vent porte sa bruine, et elle mouille ma
peau. Ainsi nous ne faisons qu'un, Pekuakami, le ciel
et moi.

J'ai vécu près d'un siècle à ses côtés. J'en connais
chaque baie et toutes les rivières qui s'y jettent ou s'en
déversent. Son chant couvre le vacarme des chevaux
de métal, apaise l'humiliation. Et s'il lui arrive de se
fâcher, sa colère finit toujours par passer.

le train

Nous le respections, craignions sa puissance, et personne ne s'aventurait au large, car le vent qui se lève sans prévenir peut engloutir les canots imprudents. Aujourd'hui, il est devenu une sorte de terrain de jeu et, avec leurs gros bateaux à moteur, les humains s'y amusent. Ils ont sali son eau, ils l'ont vidé de ses poissons. Ils le parcourent même à la nage, lui ont donné le nom d'un saint. Ils ne respectent pas sa grandeur.

Pourtant, c'est le seul lac de Nitassinan qu'un regard ne peut traverser. Comme pour l'océan, il faut en imaginer l'autre rive. J'y arrive encore. Quand je ferme les paupières apparaît celle que les anciens appelaient Pelipaukau, la rivière où le sable se déplace. À son embouchure, l'eau semble immobile au milieu de bancs de sable clair tant elle coule avec lenteur, comme si son long voyage depuis les monts Otish là-haut l'avait épuisée.

Les images de ma rencontre avec elle jaillissent et, comme il y a presque cent ans, mon cœur se serre. Toujours. Je me revois sur ce canot avec lui. Nous glissons en silence sur la surface lisse. Je m'apprête à plonger dans un monde dont je ne sais que ce qu'il m'en a dit. Les premiers vertiges sont les plus puissants.

Il n'était guère plus vieux que moi. Mais son regard exprimait déjà une sagesse et une force qui m'ont conquise. Thomas m'a raconté la Péribonka avec cette économie de mots que j'allais apprendre à apprécier. Si sa voix chantante pouvait paraître hésitante par moments, jamais je n'ai vu d'homme plus sûr de lui. Quand le canot s'est engagé et que sous mes yeux s'est ouverte la Péribonka, mon cœur a bondi.

Aujourd'hui, ils ont construit une ville, mais à l'époque les bancs de sable occupaient tout l'horizon. Comme l'Ashuapmushuan et la Mistassini, la Péribonka ouvrait un chemin vers le nord. Elle nous emmenait jusqu'au territoire de chasse des Siméon.

La douceur de son estuaire était trompeuse. Bientôt les flots se gonfleraient, le courant s'accélérerait, et devant nous se dresseraient des chutes infranchissables qu'il faudrait contourner à pied. Cette rivière possède plusieurs visages.

Au bout du chemin se trouvait le lac effilé que m'avait décrit Thomas, au-delà des montagnes dont les cimes se dessinaient sur l'horizon. À quinze ans, rêver était encore facile. Mais ce que je m'apprêtais à découvrir était plus majestueux que tout ce que j'imaginais.

L'INDIEN

la vie d' Ile mondes

Mon oncle faisait partie de ces hommes qui, chaque jour, se levaient avant l'aube, avalaient un peu de galette, buvaient leur thé brûlant et sortaient travailler leur champ. Court, trapu, il avait un visage usé qui paraissait toujours soucieux. Ses mains immenses, parsemées de taches laissées par les heures passées sous le soleil, montraient les signes d'une vie de dur labeur.

Ma tante nouait ses cheveux déjà gris en une toque qui lui conférait, croyait-elle, un air distingué. Frêle, ses traits émaciés trahissant sa fatigue, elle était pieuse et se dévouait sans compter, puisque Dieu nous avait donné la terre pour que nous en prenions soin, disait-elle.

Vivre à la ferme relève du sacerdoce. Les agriculteurs s'imaginent que leur terre les protège de la sauvagerie. En réalité, elle en fait ses esclaves. Les enfants y travaillent comme les adultes. Je faisais le train le matin avant de partir pour l'école et à mon retour en fin de journée. J'aimais m'occuper des vaches. Je leur parlais en tirant leurs pis. On se comprenait bien, elles et moi. L'été, je les emmenais au champ. Celui-ci longeait une petite rivière et, au nord, au-delà des collines, on devinait le lac.

Le dimanche, nous allions à l'église de Saint-Prime. Ce n'était à l'époque qu'un simple bâtiment de planches avec des fenêtres de chaque côté et un clocher argenté où l'on gelait l'hiver et où l'on étouffait à la belle saison. Nous n'avions pas de costumes chics à nous mettre, comme certains, mais nos vêtements étaient propres. Par respect pour la maison de Dieu.

J'avais de bonnes notes à l'école, et ma tante aurait aimé que je devienne institutrice. Mais elle et mon oncle n'avaient pas les moyens de m'envoyer à l'école normale. De toute façon, je ne m'imaginais pas m'enfermer au bout d'un rang avec une bande de jeunes sous ma responsabilité. En même temps, je ne me voyais pas non plus épouser le fils d'un fermier de Saint-Prime et élever une famille nombreuse sur une parcelle rocailleuse. L'avenir, je préférais ne pas y penser.

Le village se développait peu à peu. De nouveaux colons s'installaient, attirés par les terres gratuites qu'il fallait cependant défricher. Les paroissiens parlaient de remplacer la petite église par un bâtiment en pierres, plus imposant, muni d'un clocher vertigineux qu'on distinguerait de loin. Le maire évoquait le progrès.

Tous avaient ce mot à la bouche. En réalité, il ne se passait pas grand-chose. Plus d'habitants ne signifiait que plus d'hommes attelés à leurs charrues et de femmes à leurs fourneaux.

Parfois, le soir, une fois ma besogne finie, je regardais le soleil se coucher derrière la forêt. Qu'y avait-il au-delà des arbres ? Qui vivait de l'autre côté du grand lac ? Ce monde différait-il du mien ? Ou n'était-il qu'une succession de villages aussi mornes que le nôtre ? Quand je revenais à la maison, ma tante me grondait.

« Pourquoi rentres-tu si tard, Almanda ? C'est dangereux, la nuit. Tu pourrais tomber sur des sauvages.

— Ben voyons, ma tante. Il n'y a personne ici. Rien à voler. Rien à craindre. »

C'est un de ces soirs où je trayais les vaches dans la lumière tamisée du soleil couchant que je l'ai vu pour la première fois. Nous étions au début de l'été, et un vent chaud balayait les herbes hautes. Un canot est apparu, descendant en silence la rivière à la Chasse. Un homme torse nu, à la peau cuivrée, ramait sans se presser, se laissant pousser par le courant. Il paraissait à peine plus âgé que moi et, de ma position, je pouvais apercevoir qu'au fond de son embarcation d'écorce de bouleau gisaient cinq outardes. Nos regards se sont croisés. Il n'a pas souri. Et je n'ai pas eu peur. Le chasseur a disparu au bout d'un méandre, derrière une colline.

Qui était ce jeune Indien ? Sans doute un vol d'oiseaux l'avait-il attiré jusqu'ici car on n'en voyait jamais dans le coin. J'ai fini de traire les vaches et je suis rentrée par le chemin entre les champs. Le vent dispersait les mouches noires, abondantes à cette période. J'ai fait attention de ne pas renverser de lait. Nous en avions bien besoin, car la pluie avait retardé les semis. Mon oncle et ma tante s'inquiétaient. Notre vie tenait à si peu de chose.

Le lendemain, le canot est réapparu vers la même heure, encore une fois rempli d'outardes, disposées en éventail. Le garçon aux yeux bridés m'a fixée. Je lui ai fait un signe de la main et il a incliné la tête. Droit dans sa frêle embarcation, il ramait avec assurance, beau dans son silence. Les paumes collées aux pis d'une vache, je l'ai regardé s'éloigner.

Le jour suivant, quand je me suis levée à l'aube, l'image du mystérieux chasseur glissant sur l'eau dans une noblesse de gestes occupait encore mon esprit. Traquait-il ainsi tous les jours des proies ? Changeait-il de terrain ou, comme le fermier, cultivait-il toujours le même ? Ces questions m'ont travaillée toute la journée pendant que j'aidais ma tante à faire du pain, à préparer les repas, à repriser les vêtements.

Après le souper, armée de mon seau, je me suis dirigée vers les pacages, espérant en secret apercevoir celui qui me paraissait si différent de tous ceux que j'avais connus et que j'imaginais comme une sorte de vagabond se laissant guider par le vent. J'étais jeune, bien entendu. Entourée d'êtres prisonniers de leur terre, je découvrais quelqu'un de libre. Cela était donc possible.

Ce soir d'été, quand je suis arrivée au pâturage, il m'attendait, assis sur la clôture, avec la patience de celui qui se moque du temps qui passe. Le vent jouait dans ses cheveux, accentuant son air d'enfant timide. C'est ce que nous étions tous les deux. Il m'a regardée venir vers lui. C'est moi qui ai parlé la première.

first meeting

« Bonjour. »

Il a répondu d'un signe de la tête, le regard concentré. Savait-il sourire ?

« Quel est ton nom ? »

Il a hésité un instant.

« Thomas Siméon. »

Il avait une voix douce et chantante.

« Moi, c'est Almanda Fortier. »

Il a encore fait un signe de la tête. La solidité et la force qui émanaient de lui contrastaient avec ses manières réservées. Comme si deux personnes vivaient en même temps en lui.

« Tu es venu en canot ?

— Pas aujourd'hui. »

Il cherchait ses mots.

« Le vent…

— T'es venu à pied de Pointe-Bleue ? »

Il a opiné de la tête.

« Dis donc, c'est une bonne trotte. *a fair walk*

— Pas tant que ça. »

Il y avait plus de dix kilomètres jusqu'à Pointe- *6 miles* Bleue. Je ne m'imaginais pas parcourir à pied une aussi longue distance. Mais quand le vent souffle comme ce jour-là, personne n'ose s'y aventurer. Il avait dû marcher pour venir me voir. J'ai trouvé ça beau.

Nous avons discuté et, avec pas mal d'efforts, nous sommes arrivés à nous comprendre. Sa gentillesse naturelle m'a tout de suite plu. Thomas m'a expliqué que, l'autre jour, il avait remonté la rivière à la Chasse parce qu'il suivait des outardes.

« Tu aimes l'outarde ? »

Je n'en avais jamais mangé.

« Mon oncle ne chasse pas. Il cultive la terre. C'est bon ? »

Il a paru confus un instant.

« Ça goûte le poulet ? »

Il a haussé les épaules puis ajouté :

« Jamais mangé de poulet. »

Nous avons éclaté de rire.

« Chez toi, c'est Pointe-Bleue ? »

— Oui et non. »

Il a dodeliné de la tête, cherchant comment exprimer sa pensée dans ma langue.

« Pointe-Bleue, c'est où nous passons l'été. Et où nous vendons les peaux au magasin de la Baie d'Hudson. Chez moi, c'est là-bas. »

Il a pointé sa main en direction du nord-est.

« Tu habites le lac ? »

J'ai éclaté de rire et il s'est rembruni. J'ai eu peur de l'avoir vexé.

« C'est une mauvaise blague. Désolée. »

Cette intensité que je sentais derrière la timidité me troublait.

« Chez nous, a-t-il repris, c'est de l'autre côté de Pekuakami. »

Pekuakami. Je n'avais jamais entendu le lac Saint-Jean être désigné ainsi. J'ai tout de suite aimé ce mot.

« De l'autre côté, il y a la rivière Péribonka et, en haut, un lac qui porte le même nom. Il y a des chutes infranchissables, les Passes-Dangereuses. C'est chez moi. »

Thomas, dans ses mots hésitants, évoquait un monde inconnu. Et l'image de cette rivière impétueuse coulant au milieu de la forêt me fascinait.

Le soir, au souper, j'ai demandé à mon oncle ce qu'il y avait de l'autre côté du lac Saint-Jean.

«Rien. Y a rien là-bas. Juste du bois pis des mouches.

— Tu connais la rivière Péribonka?

— Je l'ai jamais vue, mais à ce qu'on dit c'est une grande rivière. Y a pas de colons en haut. C'est loin dans les terres.

— Et les Passes-Dangereuses? Ça te dit quelque chose?»

Mon oncle a réfléchi un instant, en lissant sa barbe grise.

«Non. Jamais entendu parler.»

Je me suis couchée ce soir-là la tête pleine d'images de la forêt chevauchant les montagnes à l'infini et j'ai cru entendre au loin le grondement des chutes menaçantes.

*

Le lendemain, Thomas a accosté et remonté son embarcation sur la berge. Tenant dans sa main droite un oiseau, il a grimpé la colline d'un pas lent et assuré. Avec lui, rien ne pressait.

«Tiens, *nishk*. Tu pourras dire si t'aimes ça.»

Mon cœur s'est gonflé. Je n'avais jamais reçu de présent.

«Merci, Thomas. C'est vraiment gentil de ta part. Tu n'étais pas obligé.»

Il a souri.

« *Nishk* est en retard cette année. L'hiver a été long.»

J'observais ses traits, son visage ovale aux pommettes saillantes, ses yeux comme des fentes rapprochées qui lui conféraient un regard intense. Sa lèvre inférieure charnue donnait à sa bouche une certaine sensualité. Il était plus grand que moi, avec des épaules larges et solides, des cheveux noirs très denses, une peau lisse et mate.

« Toi? T'as chassé?

— Non. Je ne sais pas si je pourrais tuer un animal.

— Tu aimes la viande?

— Bien sûr. Je sais. Ça n'a pas de sens.

— Je ne tue jamais par plaisir. Toujours pour manger.»

Il a pris l'outarde dans ses mains et a lissé les plumes ébouriffées.

« *Nishk* donne sa vie. Il faut juste prendre ce dont on a besoin.»

Cette sagesse exprimée en mots simples révélait la bonté et la générosité de Thomas.

Quand je suis rentrée avec l'énorme outarde, ma tante a écarquillé les yeux.

« C'est quoi ça, Manda?

— Un poulet.

— Où as-tu pris ça, ma fille?

— Je l'ai attrapé en plein vol, avec mes mains. Comme ça.»

J'ai fait mine de sauter en levant les bras vers les cieux. Ma tante m'a jeté un regard sévère.

«On me l'a donné.»

Elle a posé ses poings sur ses hanches.

«C'est un Indien qui me l'a donné. Ça fait une couple de fois qu'il passe devant le pacage en canot en revenant de la chasse.

— Un Indien t'a donné une outarde?»

Elle avait monté le ton.

«Ben oui, ma tante, il est gentil. Il en avait plein. Ça va nous changer de la galette.»

Elle a pris l'oiseau, l'a emporté vers la cuisine et a commencé tout de suite à lui retirer ses plumes.

«Tu as raison, Manda. Ton oncle sera content. C'est bon, l'outarde.»

Nous manquions souvent de viande, surtout l'été, alors qu'il fallait la saler et l'entreposer dans des tonneaux pour la conserver. Le cadeau de Thomas tombait bien. Il a répandu un parfum de fête dans notre cabane enfumée. Ni ma tante ni mon oncle ne m'ont posé de questions sur lui.

Au cours des jours suivants, Thomas venait chaque soir au pâturage. Le plus souvent en canot, parfois à pied quand les conditions l'exigeaient. Il me parlait de son pays et moi de la vie au village, de l'école qu'il n'avait jamais fréquentée. Il essayait de m'apprendre quelques mots de sa langue, mais je n'étais pas bonne élève et ça le faisait rire.

Son français ne s'améliorait guère plus que mon innu, mais il m'expliquait avec patience son monde. L'expédition en famille vers le territoire sur la Péribonka, le campement installé pour l'hiver au cœur de la forêt, la trappe et les voyages de chasse au caribou dans la grande plaine du Nord. Et tout le travail nécessaire pour préserver et entreposer la viande et la peau des bêtes. Il y avait aussi les veillées autour du feu, où les anciens racontaient les légendes qui amusaient et instruisaient les enfants. Enfin, au printemps, avec la fonte des glaces, la descente vers le lac et les retrouvailles avec ceux qui avaient passé comme eux de longs mois dans le bois.

À Saint-Prime, la plupart des gens considéraient les Indiens comme inférieurs. Pourtant, les récits de Thomas décrivaient une existence où le rapport à la terre était différent, une vie aux horizons grands ouverts, et plus il parlait, plus j'avais soif d'air frais.

« J'aimerais voir la rivière Péribonka et ses montagnes, Thomas.

— T'aurais pas peur ?

— Oui, un peu. Mais en même temps…

— J'aimerais que tu viennes, Almanda. En canot, a-t-il dit en pointant le doigt devant lui, chez moi. »

J'ai fixé les yeux de celui qui me demandait de le suivre jusqu'au bout du monde. J'y ai vu la rivière, le lac long et, au milieu, moi et ce jeune homme aux larges épaules et au regard confiant.

POINTE-BLEUE

« Es-tu folle, Almanda ? »

Ma tante était une femme humble et travaillante.
Je ne l'avais jamais vue hausser le ton.

« T'es pas pour marier un Indien. Tu sais comment
ils sont, les Indiens ? Ils en arrachent, dans le bois.
Toi, t'es pas habituée à ça. Ça n'a aucun bon sens,
ma fille. »

Il fallait, j'imagine, un peu de folie pour prendre
le bois avec un quasi-inconnu, pire, un Sauvage.

« Je vais m'y faire et ils vont m'apprendre la langue.
De toute façon, ma tante, regardez-nous. C'est pas la
vie de château ici non plus. On n'a plus de viande
depuis deux semaines et on se contente de la galette
de sarrasin à table. Et puis, vous le savez que je n'aurai
pas de dot à offrir pour me marier, alors quel est mon
avenir ici ? »

Sans doute ma tante avait-elle peur pour moi. Mais
rien n'aurait pu me faire renoncer et elle l'a vite saisi.

La semaine suivante, mon oncle a attelé le cheval
au boghei et nous sommes partis pour Pointe-Bleue.
Mais il voulait d'abord passer par Roberval pour y
acheter une faucheuse. Le chemin était bon et la bête

trottinait en dévalant les collines. Le soleil montait au-dessus du lac, une brise chaude lissait mes joues, et mon cœur s'emballait à mesure que nous nous éloignions de la ferme.

Roberval n'était qu'une petite ville de campagne, mais l'église, avec sa haute flèche de fer-blanc étincelant dans le ciel, y était imposante. Des maisons cossues aux belles galeries peintes s'alignaient sur la rue principale, bordée de trottoirs de bois. Les femmes vêtues de robes longues, coupées dans de riches tissus, protégeaient la pâleur de leur peau du soleil avec des ombrelles aux couleurs pastel. Les hommes, habillés de costumes sombres, portaient d'élégants chapeaux de feutre.

« Tu devrais essayer ça, mon oncle. »

Ma tante a éclaté de rire. Mon oncle a enfoncé son chapeau de paille sur sa tête en marmonnant une réponse que ni elle ni moi n'avons comprise.

Le magasin agricole était un édifice de bonne taille où régnait un brouhaha industrieux. Dans la cour, on trouvait entreposés avec soin des faucheuses et de l'équipement aratoire de toutes dimensions. Mon oncle est descendu et s'est dirigé aussitôt vers le bâtiment principal. Il en est ressorti quelques minutes plus tard avec un homme au chapeau melon, ce qui m'a paru étrange pour quelqu'un dont les clients étaient des fermiers. Le commerçant l'a aidé à prendre ce dont il avait besoin et à ranger avec précaution le nouvel outil à l'arrière de la carriole.

Nous sommes repartis vers le nord en roulant sur un chemin de terre battue longeant le lac. Les maisons s'espaçaient peu à peu. Nous avancions dans le silence de la campagne. Au bout de quelques kilomètres, la voie débouchait sur une bande de terrain en pente qui descendait jusqu'à la plage. Le vent était tombé, et le bleu de l'eau se mariait à celui du ciel. Devant nous est apparue une bourgade telle que je n'en avais jamais imaginé.

Même si Saint-Prime n'était guère plus qu'un hameau perdu, les constructions y étaient disposées avec ordre de chaque côté de la route principale. On y trouvait un magasin général et quelques maisons serrées autour de l'église. On pouvait apercevoir plus loin les fermes avec leurs bâtiments secondaires et leurs clôtures délimitant les champs.

Le village devant moi avait aussi en son cœur une église, l'ancienne chapelle de la mission de Métabetchouan que les pères oblats avaient déménagée plus de dix ans auparavant, en la transportant sur la surface gelée du lac. Un commerce. Une petite maison carrée à toit en pente entourée d'une clôture blanche qui abritait le poste de traite de la Compagnie de la Baie d'Hudson. Mais il n'y avait pas de rues, pas d'intersections. Personne d'élégant marchant d'un pas pressé sur des trottoirs de bois. Il n'y avait que des tentes plantées dans le sable, sans ordre apparent, devant le lac.

Thomas nous attendait à l'entrée de Pointe-Bleue, assis sur un talus d'herbe haute. Il s'est levé d'un bond en nous saluant de la main. Mon oncle a soulevé son chapeau de paille, ma tante a incliné la tête, et moi je lui ai souri. J'ai alors remarqué une étincelle

31

dans ses yeux. Celle qu'il a gardée jusqu'à son dernier souffle.

«Venez», a-t-il presque chuchoté tant sa voix était douce.

Nous avons laissé l'attelage. Les regards se fermaient à notre passage et j'ai senti ma tante se raidir. Plus tard, je comprendrais que cette attitude qui nous paraissait farouche n'exprimait en fait que la timidité des Innus face aux gens de l'extérieur. Au bout d'un moment, nous sommes arrivés à un petit campement de quelques tentes, plantées au pied d'une colline.

«Ma famille», a dit Thomas.

Le clan des Siméon était constitué de son père, Malek, de son frère, Daniel, et de ses sœurs, Christine et Marie. Chacun avait sa tente. Thomas était l'aîné de la famille et cela se sentait.

À part Thomas et Christine, personne ne parlait français. La conversation s'est résumée à quelques mots à peine. Malek était un homme de petite taille au visage usé, aux mains noueuses et au regard qui avait gardé la brillance dont Thomas avait hérité. Marie et Christine portaient des jupes amples à motifs fleuris et des chemises à gros carreaux. Elles avaient toutes deux noué un foulard autour de leur cou et une lourde croix de métal y pendait. Leurs cheveux enroulés de chaque côté de la tête formaient des toques imposantes sur lesquelles elles avaient enfoncé des bonnets de feutre noir et rouge vif, décorés de perles de verre.

Thomas m'a montré sa tente. À l'intérieur, un épais tapis de sapin frais recouvrait le sol.

«C'est pas grand», ai-je laissé échapper.

Christine m'a jeté un coup d'œil dans lequel j'ai lu un mélange de curiosité et de méfiance. Avec le recul, je réalise comment mon attitude a pu sembler étrange tant pour ma famille que pour celle de Thomas. Mais, enivrée par les images de forêt à perte de vue que Thomas avait fait naître en moi, je me sentais sûre de moi, convaincue de n'avoir aucun avenir à Saint-Prime, où de toute façon, rien ne changerait. Et cette idée m'était insupportable. De fait, notre modeste maison de planches a disparu depuis longtemps. Mon oncle et ma tante reposent dans le petit cimetière du village, mais les vaches paissent encore dans leurs anciens champs et, matin et soir, quelqu'un s'en occupe.

Qu'aurait été ma vie si un jeune chasseur aux yeux bridés n'était pas passé par là, attiré par un vol d'outardes?

ENGAGEMENT

Ce n'est pas une rivière. La Chasse, qui se tortille entre des talus d'herbe haute, en est une. Péribonka, c'est un chemin creusé par des géants à même le roc. Cette nature indomptée et somptueuse m'a libérée de l'horizon.

Je m'amusais à écouter l'écho de ma voix se perdre entre les montagnes. Thomas m'observait en souriant, sans jamais rater un coup de rame.

Il m'avait décrit ce monde et je le découvrais maintenant, tous sens éveillés. L'odeur épicée des épinettes, le bleu profond de la rivière, le soleil incandescent, la fraîcheur de l'air descendant des cimes, le murmure du canot sur l'eau.

Mon oncle et ma tante ne s'étaient pas opposés à notre union après la visite à Pointe-Bleue, même si j'avais à peine quinze ans. Thomas n'en avait que dix-huit, après tout. Nous nous étions mariés lors d'une cérémonie simple, célébrée à la petite chapelle de Pointe-Bleue. Je portais une robe blanche, et lui, un complet gris qui lui donnait des allures de notaire. Cela avait été un jour heureux.

Quand nous nous sommes donnés l'un à l'autre, son cœur s'est gonflé dans sa poitrine, et le sentir battre si fort pour moi m'a grisée. Il m'a étendue sur le tapis d'aiguilles de sapin qu'il avait disposé dans la tente, et j'associerai toujours ce parfum boisé à son souvenir. Ses lèvres sur ma peau, ses doigts explorant ma chair nue, son étreinte, le mouvement de nos corps fébriles et maladroits au milieu du bruit des vagues qui venaient mourir à nos pieds et berçaient la nuit.

J'ai retourné Thomas et j'ai serré ses hanches entre mes cuisses. Un brin d'inquiétude a traversé son regard. Sa vie basculait aussi. Vertige partagé car je n'avais jamais envisagé qu'un homme puisse s'offrir avec la même sincérité que j'étais prête à le faire. Mais à ce moment où tout son être a tremblé sous le mien, rien ne me paraissait plus clair.

Thomas m'a promis que je ne serais jamais seule. Il a tenu parole, même si parfois je lui en veux de m'avoir offert ce cadeau qu'on allait m'enlever plus tard. Il ne pouvait savoir qu'un jour des hommes nous voleraient la forêt et ses rivières. De son trésor, où il me conduisait à la force de ses bras, il ne me reste plus que Pekuakami. Je viens me recueillir sur sa plage de sable blond chaque matin. Cela garde vivant en moi un peu de Thomas.

Mais en cette fin d'été, nous nous préparions à hiverner sur ce qui était encore le territoire de chasse des Siméon. Pour notre première montée ensemble, il avait décidé que nous partirions une semaine après les autres et que nous les rejoindrions aux Passes. Ce serait notre lune de miel.

Le voyage durait un mois. Après avoir longé le contour nord de Pekuakami, il fallait suivre la rivière. On réussissait à franchir certains rapides en poussant le canot avec de longues perches de bois. Mais souvent il fallait renoncer, s'arrêter, vider le matériel et tout transporter à dos d'homme dans le bois.

Le matin, nous mettions le canot à l'eau de bonne heure, ramions en cadence jusqu'à la fin de l'après-midi, moment où nous installions notre campement pour la nuit. Thomas connaissait déjà les endroits où nous allions camper. Il connaissait ce chemin par cœur et cela me fascinait, car malgré son jeune âge il possédait un vaste savoir. Moi, il m'a fallu des années pour apprendre à marcher en forêt sans m'égarer.

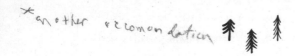

PÉRIBONKA

Pour ce premier voyage, nous n'avions emporté que le strict minimum. Cela faisait quand même beaucoup de matériel. Les sangles des sacs me blessaient, mais si je manquais de l'assurance de Thomas sur les rochers qu'il fallait escalader, jamais je ne me plaignais.

L'une de ces épreuves les plus ardues nécessitait une journée de marche. Il fallait grimper une montagne en plein bois sur un sentier tracé par des générations de chasseurs. Je suivais le pas lent de Thomas. La sueur piquait mes yeux et ma bouche s'emplissait de sel, mais je refusais de lui demander de prendre une partie de mon fardeau.

La descente abrupte était plus périlleuse encore. Il fallait contourner de hautes corniches en portant notre lourd bagage. J'avais le vertige et cela amusait Thomas, qui ne comprenait pas cette réaction irrationnelle, lui qui avait grandi sur ces pistes.

Le portage a nécessité deux jours de marche à travers les montagnes et la forêt. Au troisième matin, nous avons enfin pu remettre le canot à l'eau et nous nous sommes éloignés en vitesse du rapide, encaissé entre les falaises de roc, dont le grondement se perdait dans la nature.

Au bout de trente minutes, la forêt avait retrouvé ce calme étrange où le temps s'arrête. Mes muscles me faisaient mal, mes mains couvertes d'ampoules peinaient à tenir la rame. Nous avons pagayé toute la journée en écoutant le silence de Nitassinan.

Le soir, alors que nous montions le campement sur une pointe de sable pour la nuit, Thomas a décrété que nous y passerions trois jours.

« Faut que je t'apprenne à chasser, Almanda. Comme une vraie Innue. »

C'était la première fois qu'il parlait de moi comme d'une Innue. Peut-être est-ce à ce moment que je le suis devenue.

Sa place

I became one-an Innu.

LA WINCHESTER

Mon oncle possédait une carabine, mais ni ma tante ni moi n'avions le droit d'y toucher. Les armes à feu étaient une affaire d'hommes à Saint-Prime. Pas ici. Thomas m'a montré comment charger un fusil, comment caler la crosse au creux de l'épaule et viser en gardant les deux yeux ouverts.

Je me suis entraînée à tirer sur la plage. Au bout d'une heure, j'ai commencé à me sentir plus à l'aise avec l'arme.

« T'as l'œil, Almanda. »

J'ai rechargé la Winchester, visé la pierre qu'il venait de poser sur un rocher et tiré. Elle a volé en éclats et j'ai hurlé de joie. Thomas avait un brin de fierté dans le regard.

« T'es prête pour la perdrix. Il y en a pas mal ici. »

Nous nous sommes tout de suite mis en marche en longeant la rivière. Nous faisions notre possible pour nous fondre dans la nature, et j'essayais de reproduire ses gestes lents, mais je me sentais gauche. Thomas a suivi un ruisseau dont les berges, couvertes d'une mousse spongieuse, absorbaient le bruit de nos pas.

Nous progressions sans parler depuis une bonne heure quand un animal a surgi d'un bosquet en battant des ailes avec frénésie. La détonation a résonné et, soudain, l'oiseau devenu lourd comme une pierre est tombé sur le sol humide. La scène n'avait duré qu'une poignée de secondes. Thomas, d'instinct, avait suivi avec son arme la trajectoire. Il avait évalué la vitesse de déplacement et fait mouche. Un instant d'hésitation et la perdrix s'échappait. Abattre une bête en plein vol me paraissait beaucoup plus difficile que de tirer sur un objet inerte. En serais-je capable?

Nous sommes revenus au campement et j'ai plumé et préparé la perdrix. J'avais appris avec les poules de la ferme. Thomas l'a fait cuire en l'étendant sur des branches au-dessus du feu.

Nous n'avions parcouru que le tiers de la distance pour atteindre les Passes-Dangereuses. Il nous restait donc de longues semaines de voyage, et déjà je me sentais épuisée. La rivière, très large à cet endroit, coulait avec lenteur. De l'autre côté, une maman orignal et son bébé ont émergé du bois et se sont approchés pour boire. Le petit, nerveux et maladroit, s'est précipité vers l'eau et s'est immobilisé. Il a hésité un instant en regardant à gauche et à droite avant de s'y jeter, plongeant sa tête sous la surface, puis ressortant en projetant des jets blancs sur son dos. Les sens en alerte, sa mère surveillait les alentours. Ils prenaient un risque en se mettant à découvert.

Le vent soufflait en notre direction et elle ne nous avait pas vus.

« *Mush*. *Ulk*

— *Mush*?

— *Mush*», a-t-il dit en désignant les orignaux.

J'ai répété le mot, tout en rondeurs, pendant que le bébé continuait ses cabrioles sous le regard attentif de sa mère.

« *Mush*, a repris Thomas, c'est bon.

— Je ne sais pas si je serais capable de tirer sur un orignal, Thomas. Surtout la mère d'un petit. »

Thomas a respiré une bouffée d'air, levé les yeux au ciel, puis son regard s'est à nouveau fixé sur les orignaux.

« En donnant sa vie, *mush* permet au chasseur de vivre. Il faut le remercier. Respecter le sacrifice. »

J'arrivais d'un monde où l'on estimait que l'humain, créé à l'image de Dieu, trônait au sommet de la pyramide de la vie. La nature offerte en cadeau devait être domptée. Et voilà que je me retrouvais dans un nouvel ordre des choses, où tous les êtres vivants étaient égaux et où l'homme n'était supérieur à aucun autre.

La maman orignal a renâclé et le petit a bondi hors de l'eau. Le temps de jouer était terminé. Les deux bêtes sont retournées d'un pas prudent dans la sécurité du bois. Nous étions de nouveau seuls face à la Péribonka. L'air gorgé d'odeur de pin emplissait nos poumons et, autour de nous, des milliers de cœurs de tailles et de formes différentes battaient en même temps.

PILEU ?

Le lendemain, nous sommes retournés chasser. Cette fois vers le sud, au pied de la montagne. Thomas a tué une perdrix. J'ai tenté ma chance un peu plus tard. Un gros oiseau avait foncé sur nous pour nous éloigner de son nid. J'ai pointé mon arme, mais au moment de tirer j'ai hésité et la balle a raté sa cible.

Le soir, nous avons préparé le repas et mangé sur la plage en regardant le soleil se coucher derrière les sommets déjà blanchis. Dans la tente, étendue sur notre lit, je revoyais la perdrix foncer vers moi. Au lieu de tirer, j'avais cherché à viser. Le temps que j'y parvienne, il était trop tard. Bercée par la respiration régulière de Thomas, je rejouais la scène dans ma tête. Quand je me suis enfin endormie, la perdrix m'échappait encore.

Le lendemain matin, notre troisième à ce campement, nous avons tenté notre chance du côté de la petite rivière. Deux journées de repos m'avaient permis de récupérer et je me sentais mieux. Nous avancions au milieu des cris des animaux mais n'en apercevions aucun, comme s'ils nous fuyaient. Pendant près de trois heures, nous n'avons pas vu âme qui vive. Thomas n'a pas ouvert la bouche et je me taisais aussi, écoutant le vacarme frustrant de la nature.

Rendus à une petite chute, nous avons traversé la rivière en marchant sur les rochers couverts de mousse. Je faisais le moins de bruit possible, mais malgré mes efforts je n'arrivais pas à imiter le pas lent, faussement nonchalant, de Thomas. Je glissais sur les pierres, me cognais à des branches. À cause de moi, toute la forêt savait que nous étions là.

Au retour, nos besaces demeuraient vides et je me sentais responsable de la situation.

Après plus de cinq heures de marche, nous approchions du campement quand une perdrix a surgi entre les arbres. Certaine de la rater encore, j'ai jeté un rapide coup d'œil à Thomas, qui n'a pas bronché. J'ai alors mis ma Winchester en joue et visé en traçant une ligne devant la proie qui s'éloignait, puis j'ai appuyé sur la détente. Le coup de feu a résonné dans mon oreille, et la balle a foudroyé l'oiseau en plein élan.

Mon pouls s'est emballé, mais je suis restée paralysée, l'arme toujours pointée vers l'endroit où, un instant plus tôt, une perdrix volait. Thomas a posé sa main sur mon épaule. Il est allé chercher mon trophée, une prise de belle taille, plus grosse que celles que nous avions rapportées les jours précédents. J'ai ressenti une fierté d'adolescente m'envahir. Après tout, c'était ce que j'étais encore.

Nous avons retrouvé le campement et préparé le gibier. Cette fois, Thomas l'a fait bouillir.

« Faut faire changement, a-t-il dit. Ici, on mange souvent la même chose. »

J'aimais ce sourire qui illuminait son visage parfois austère.

« On repart demain. Il reste beaucoup de chemin. »

Je me suis demandé combien de temps nous serions demeurés à ce campement si je n'avais pas tué la perdrix. Le temps qu'il fallait, j'imagine.

Sous le regard de la lune, nos corps se sont enroulés et l'écho de notre plaisir s'est perdu dans les arbres. Ce désir dans mon ventre, dans ces caresses, n'a jamais faibli. Encore aujourd'hui, alors que je ne suis plus qu'une vieille femme, il m'habite toujours aussi fort. Seule face à Pekuakami, quand je ferme les yeux et respire le vent du nord-est comme en ce moment, je le ressens en moi. Cette flamme est tout ce qu'il me reste de lui et elle s'éteindra bientôt, avec moi, et cela m'attriste.

LES PASSES-DANGEREUSES

Chaque coup de rame m'éloignait d'une vie et me plongeait dans une autre. Moi qui avais la parole facile, j'apprenais à écouter ce monde nouveau et ancien et à m'y fondre.

La rivière Péribonka monte presque en ligne droite vers le nord. Les feuilles rouges et jaunes jetaient des touches de couleur dans l'écrin de verdure qui l'enserrait. À mesure que la température baissait, l'eau prenait des teintes de bleu profond.

Quand Thomas me sentait fatiguée, nous nous arrêtions un jour ou deux. Je découvrais comment installer des filets pour attraper le poisson, comment porter le canot sans me blesser, comment marcher sans bruit. Petit pas par petit pas, mon corps autant que mon esprit s'adaptaient au mouvement quotidien de l'existence nomade. Au fil des jours, la notion même de temps devenait diffuse. Mais chaque matin, la fraîcheur de plus en plus mordante de l'air nous rappelait que nous nous approchions de notre but.

On entendait les Passes-Dangereuses bien avant de les voir. L'écho de leur cri, sorti du ventre de la terre, se réverbérait dans les montagnes et courait

sur la forêt. Le vacarme se faisait de plus en plus violent et, même à plusieurs mètres de la chute, on sentait l'air se charger de ses exhalaisons et mouiller la végétation.

Peu à peu, à travers le crachin apparaissait enfin la bête. Le dragon hurlant sa fureur se précipitait sur les rochers en laissant derrière lui un maelstrom terrifiant.

Tout un lac se jetait dans le vide avec un fracas qui glaçait le sang.

« C'est beau, hein ? »

Thomas devait crier.

« Je… je ne sais pas. C'est plutôt effrayant.

— Il faut craindre la puissance de la rivière et la respecter. »

La peur tétanise, la crainte incite à la sagesse. Ça aussi, je devais l'apprendre.

Thomas a dirigé le canot vers la rive.

« On va dormir plus haut, là, a-t-il dit en indiquant une petite clairière surélevée. Demain, on entre dans le bois. »

Il y avait dans sa voix une pointe de fébrilité. Nous avions atteint le territoire des Siméon.

C'était notre dernière nuit seuls. À l'aube, nous rejoindrions le reste de la famille. Même si j'étais fatiguée et nerveuse, le vacarme de la chute m'a empêchée de fermer l'œil. J'avais besoin de sentir

Pages précédentes : rivière Péribonka.

48

ses mains sur moi, de ses bras qui me serraient, de
ses baisers pour balayer ces inquiétudes.

Je me suis glissée sur lui pour entendre son cœur
battre entre nos corps. Je l'ai embrassé, j'ai enfoncé
mes doigts dans ses muscles, roulé mon ventre sur le
sien. Il s'est agrippé à mes hanches et a déposé des
baisers sur mes paupières. Nous sommes demeurés
ainsi dans la tiédeur de notre abri. Puis il a murmuré :

« *Tshishatshitin.* »

C'était la première fois que quelqu'un me disait
« Je t'aime ».

TERRITOIRE

[annotation manuscrite : also homeland / dominium-]

Quand nous avons atteint le campement d'hiver, les hommes étaient dans le bois et les femmes, occupées à tanner une peau de caribou. Les tentes, assez éloignées les unes des autres, formaient un hameau posé au sommet d'une colline surplombant un lac.

Les sœurs de Thomas, Christine et Marie, nous ont accueillis avec chaleur. Marie a servi du thé. Christine, qui parlait un peu français, s'est installée près de moi, m'a demandé comment s'était passé le voyage.

J'ai essayé, tant bien que mal, de lui expliquer le sentiment de liberté qui m'emplissait depuis le moment où nous avions mis notre canot à l'eau. Ma belle-sœur a vu le bonheur sur mon visage et dans le regard de son frère. L'amour est une chose que tous comprennent, peu importe la langue dans laquelle il s'exprime. La chaleur qu'elle me témoignait apaisait mes craintes d'étrangère qui débarquait dans un clan tissé serré. Le fait qu'elle et les autres m'aient acceptée aussi facilement montrait l'ouverture d'esprit des Siméon. Je n'ose imaginer la réaction des habitants de Saint-Prime si Thomas et ses cheveux longs avaient fait irruption dans la vie du village.

Pendant que nous discutions, celui-ci a entrepris de monter notre campement pour l'hiver. Il a coupé de petits sapins, les a nettoyés de leur feuillage avec sa hache, puis en a aiguisé les extrémités pour en faire des poteaux.

Quand nous avons eu fini de boire le thé, Marie m'a entraînée en me tirant par la manche. Je me suis installée entre elle et Christine devant le caribou. Elles avaient d'abord retiré la peau de l'animal avec du silex et l'avaient suspendue. Ensuite, avec une côte d'orignal et beaucoup de patience, elles avaient gratté jusqu'à ce que la graisse s'imprègne dans les tissus. Puis elles avaient étendu la peau sur un cadre de bouleau pour la faire sécher, et à la fin elles l'avaient enduite de gras de castor et plongée dans l'eau bouillante.

Pour l'étape du tannage, mes belles-sœurs avaient préparé un feu dans lequel elles avaient jeté une souche mouillée et de l'écorce de pin rouge pour que ça boucane et que l'épaisse fumée imperméabilise la peau.

J'ai appris en les observant comment faire tout cela moi-même. Combien de peaux ai-je ensuite transformées dans ma vie ? Je ne saurais le dire, mais en découvrant les gestes lents et assurés des sœurs Siméon, comme une enfant, je m'initiais à un savoir ancien.

Thomas a fini de monter la tente, qu'il avait installée un peu à l'écart, sur un versant donnant sur le lac, avant la tombée du jour.

« La plus belle vue », a-t-il dit en souriant. Rectangulaire, assez haute pour qu'on puisse se tenir debout, elle ne paraissait guère plus grande que la cuisine de la maison où j'avais passé mon enfance. Sur le sol, un tapis de sapinage frais embaumait l'air. Il avait placé au centre le poêle qui nous servirait autant à faire à manger qu'à nous chauffer. Mais je préférais ne pas trop penser à l'hiver, il viendrait bien assez vite.

Nous avons dormi dans ce qui pour les prochains mois serait notre maison. Un jour, j'y élèverais mes petits et je m'inquiéterais pour eux quand le vent du nord soufflerait fort et que la neige menacerait de nous enterrer vivants. Mais ce soir-là, celui de notre première nuit dans le Péribonka, seul comptait l'instant où je pouvais sentir la chair de mon homme palpiter sous mes paumes.

Le lendemain, Thomas m'a annoncé qu'il partait rejoindre son père et son frère, qui chassaient plus au nord. J'ai eu un pincement au cœur à l'idée de me séparer de lui, j'aurais voulu le suivre. Toujours, j'ai voulu le suivre. Encore aujourd'hui je le ferais, et son absence me pèse.

Il est parti ce matin-là à pied, avec son bagage, en remontant une piste qui se hissait jusqu'en haut des montagnes. Le temps était déjà frais. À cette latitude, l'hiver semble toujours pressé de s'installer.

Marie, Christine et moi avons terminé de tanner les peaux. Puis, pendant que Marie s'occupait de préparer le dîner, Christine a sorti sa carabine.

«Viens, on va chasser. »

J'ai pris la Winchester et des balles et je l'ai suivie. Christine se déplaçait avec la même lenteur que Thomas. On pense que marcher, comme respirer, est ce qu'il y a de plus simple à faire. Après tout, il suffit de mettre un pied devant l'autre. Mais dans le bois, cela exige beaucoup d'adresse car le moindre bruit effraie le gibier. Avec le temps, on apprend où, comment, quand déposer le pied, quel rythme adopter. À cette époque, même si j'essayais de me fondre dans la nature, ma maladresse faisait fuir les animaux, et ça m'enrageait. Si je n'arrivais pas à faire cette chose si élémentaire, je ne serais d'aucune utilité.

Ma belle-sœur ne montrait aucun signe d'impatience. Le doigt sur la détente, les sens aux aguets, le regard dansant de gauche à droite, elle marchait toujours du même pas régulier.

Nous sommes arrivées devant un lac sur lequel s'était posé un groupe d'outardes. Nous nous sommes approchées. Quand les oiseaux ont commencé à s'inquiéter et à s'animer, Christine a mis sa carabine en joue. Je l'ai imitée. Elle a tiré et j'ai fait feu à mon tour. La masse bruyante s'est soulevée, formant une immense et magnifique voûte qui a obscurci le ciel. J'ai rechargé en vitesse ma Winchester et, au moment où j'allais appuyer à nouveau sur la détente, Christine a placé sa main sur le canon.

« On en a assez pour aujourd'hui. »

Les outardes se sont éloignées et leur vacarme s'est dispersé peu à peu. Ma belle-sœur s'est avancée dans l'eau et a agrippé par le cou trois oiseaux qui y flottaient.

« T'en as eu deux, a-t-elle dit en souriant. Qui t'a appris à viser comme une Innue ? »

Du sang coulait des carcasses et rougissait la surface du lac. Christine a déposé les bêtes dans un sac, a sorti une pipe de la poche de sa jupe, l'a bourrée, puis l'a allumée.

« Tu veux essayer ? »

J'ai aspiré, la fumée a envahi mes poumons et je me suis étouffée. J'ai craché au sol, j'ai toussé comme une damnée. Christine s'est esclaffée, de son rire flûté presque enfantin.

À Saint-Prime, seuls les hommes fumaient. Après le souper, mon oncle bourrait toujours une pipe qu'il prenait tranquille dans le salon. Je n'ai jamais vu ma tante toucher au tabac et il ne me serait pas venue l'idée de le faire.

« T'es pas encore une vraie Innue, après tout, Manda. »

Elle allait reprendre sa pipe, mais je l'ai remise entre mes lèvres et j'ai aspiré. Quand le goût du tabac a empli ma bouche, les larmes ont mouillé mes yeux. J'ai exhalé un nuage blanc et j'ai rendu l'objet. Ma belle-sœur m'a répondu avec un clin d'œil complice. Il m'a fallu de gros efforts pour ne pas vomir sur le chemin du retour.

Ce soir-là, j'ai dormi sans Thomas. Où était-il ? Avait-il tué ? Est-ce que j'occupais ses pensées comme il hantait les miennes ? Je l'espérais.

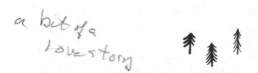

PIÈGES

Marie et Christine parlaient innu-aimun et j'arrivais à
peine à saisir quelques bribes de la conversation. Les
mots se bousculaient dans mon esprit, j'avais l'impression qu'elles répétaient toujours les mêmes mais
que seul leur débit variait. N'empêche, j'aimais être
bercée par le rythme chantant de cette langue qui se
laissait si difficilement apprivoiser.

« Pendant que Marie s'occupe de la petite chasse,
nous, on va installer des pièges. »

J'ai acquiescé d'un signe de la tête. Que pen-
sait Christine de la jeune femme rêveuse aux cheveux blonds qui la fixait ? Je l'ignore, mais jamais
je n'ai senti de jugement dans son regard. Le feu
crépitait. Le vent soufflait au-dessus des arbres.
J'ai enfoncé mon béret sur ma tête, relevé la couverture sur mes épaules, serré ma tasse entre mes
mains pour m'imprégner un peu de sa chaleur,
respiré le parfum de la boisson. On entendait au
loin un nuage d'outardes. Bientôt, l'hiver tombe-
rait sur les Passes-Dangereuses.

Quelques semaines encore et une neige épaisse
recouvrirait le Péribonka, un froid mordant figerait

Le rôle de christate

tout le pays. Christine savait que j'étais inconsciente de tout ce qui m'attendait, mais elle avait la gentillesse de ne rien dire. Je l'apprendrais par moi-même.

Nous nous sommes mises en marche et avons pris la direction du nord jusqu'à l'embouchure d'un petit cours d'eau. La rivière coulait au creux d'une vallée ceinturée de hautes montagnes aux cimes blanchies déjà. Christine a sorti un piège. Elle l'a tendu et a grimpé sur les rochers. Elle a étiré le bras pour poser l'engin sur la mousse, puis en a installé un autre un peu plus loin, lui aussi sur le tapis de lichen.

Nous sommes revenues par la rivière en longeant la forêt. Le soleil déclinant embrasait peu à peu le ciel et la fraîcheur de la nuit se répandait sur Nitassinan, dispersant des parfums de terre. J'ai toujours aimé ce moment où la lumière et l'obscurité se tutoient, où le temps hésite.

Nous avons pressé le pas. J'avais apporté ma Winchester et j'ouvrais la voie, guettant tout mouvement dans les feuillages. Une perdrix a détalé dans un froissement de plumes. J'ai levé mon arme, visé et tiré. Foudroyée en plein vol, elle s'est cabrée, puis s'est écrasée sur les rochers avec un bruit sourd.

J'ai ramassé l'animal et je l'ai tendu à Christine, qui l'a fourré au fond du sac qui avait servi à transporter les pièges. J'ai eu envie de crier ma fierté, mais nous avions encore une longue marche devant nous et nous nous sommes remises en mouvement.

«J'ai été chanceuse. Je n'ai pas pensé. J'ai tiré.»

Christine a mis quelques secondes avant de répondre.

« Il n'y a pas de chance, Manda. L'animal fait le sacrifice de sa vie. C'est lui qui décide. Pas toi. Il faut lui être reconnaissant. C'est tout. »

Les mots de la sœur de Thomas m'ont pénétrée et, peu à peu, la fierté a fait place au sentiment de culpabilité. J'ai remercié l'esprit de l'animal, dont le corps inerte reposait dans le sac de Christine. J'ai espéré qu'il pouvait m'entendre.

Quand nous sommes arrivées au campement, il faisait presque nuit. Les hommes étaient revenus et ils avaient rapporté, en plus de leurs peaux, un orignal qu'ils avaient tué et découpé en morceaux pour en faciliter le transport. La viande fumait déjà au-dessus d'un feu. Plus loin, les chiens dormaient serrés les uns contre les autres. Thomas m'a prise dans ses bras.

Marie a fait rôtir de l'orignal et les arômes de viande grillée se sont répandus. À cette époque, on en voyait encore assez peu dans le Péribonka. Il y avait beaucoup de caribous, par contre. Sans qu'on sache pourquoi, *mush* a peu à peu remplacé *atuk* et, aujourd'hui, ce dernier a pratiquement disparu de la région, on ne le retrouve que dans la plaine du Nord.

Nous avons mangé tous ensemble autour du feu, Thomas, ses deux sœurs et son frère, leur père – Malek – et moi. Les hommes ont raconté leur voyage et j'ai écouté leur récit avec fébrilité. J'étais déterminée à ne pas rester derrière à m'occuper du campement. Je voulais moi aussi monter dans le Nord, chasser, piéger et découvrir ces contrées lointaines. Malek et ses fils avaient rapporté beaucoup de peaux de castor et de vison. L'année commençait bien.

Après le repas, Thomas et moi nous sommes retrouvés dans notre tente. Le goût du sel de sa peau m'avait manqué. Comme sa douceur, la vigueur de son étreinte.

Nous nous sommes levés avec le soleil. Une brume épaisse accrochée à la cime des arbres distillait une aura de mystère dans la vallée. Mais nous n'avions guère de temps pour y penser. Il fallait s'occuper de l'orignal, finir de boucaner la viande, tanner la peau. Les deux sœurs s'étaient déjà mises à l'ouvrage. Christine m'a demandé d'aller inspecter les pièges de martre.

« Si on en a attrapé, tu rapportes la bête et tu les réinstalles. Tu te souviens comment faire ? »

Je n'en étais pas certaine, mais j'ai fait signe que oui.

« N'oublie pas de les remettre sur la mousse. Une martre, c'est trop intelligent pour sortir de l'eau sur les rochers en laissant des traces. »

J'ai acquiescé et je suis partie avec un sac en bandoulière et ma carabine. J'ai refait le chemin que nous avions parcouru la veille, jusqu'au lac. La brume s'était dissipée et le soleil répandait une claire lumière d'automne. L'air frais me donnait des forces et du courage. Pour la première fois, je me trouvais seule dans le bois.

J'ai repéré sans difficulté les pièges. Deux martres étaient venues s'y prendre. Leurs corps recroquevillés exposaient leurs belles fourrures lustrées au vent. Je les ai dégagées, puis j'ai tout remis en place, comme Christine me l'avait enseigné, et j'ai pris la direction du retour en scrutant la lisière des arbres. Aucun animal ne s'est plus montré. Nous avions assez à manger.

Au campement, la peau de l'orignal nettoyée pendait maintenant sur un séchoir. Malek faisait de la babiche, qui servirait à fabriquer des raquettes. Ses deux fils coupaient du bois de chauffage. Il en faudrait beaucoup pour passer l'hiver. Tout le monde s'échinait, chacun à sa tâche. Je n'étais pas sûre encore de celle qui était la mienne, alors j'ai commencé à préparer les martres en faisant de mon mieux.

Au bout d'un moment, Christine est venue me rejoindre. Elle a entrepris de retirer la précieuse fourrure de l'une des bêtes avec l'assurance de celle qui a appris au fil des ans. Concentrée sur mon travail, je n'ai pas vu le temps passer. Quand nous avons eu fini, nous avons étiré les fourrures, puis les avons placées elles aussi à sécher. Christine a souri. Sa manière de me féliciter.

Marie avait fait le souper. Nous avons mangé dehors dans la fraîcheur de l'automne, au milieu de la forêt immobile. La lune est montée dans le ciel, répandant une lumière bleue sur le campement.

Après le repas, Malek a commencé à raconter des histoires de sa jeunesse. Elles relataient le passé de la famille et des Innus de Pekuakami. Même si je ne comprenais pas tous les mots, je me laissais bercer par le rythme des récits de l'ancien. Sa voix douce et fragile exprimait la résilience et la force des générations qui l'avaient précédé et qui avaient partagé leur savoir et leurs connaissances, comme les autres le faisaient pour m'aider. Je faisais partie de ce clan rassemblé autour d'un feu sous la lune qui se mirait dans le lac. Nos ventres pleins, les peaux et les fourrures qui séchaient témoignaient d'une longue et dure journée de labeur.

Les flammes crépitaient. Christine m'a mis quelque chose dans la main. J'ai regardé l'objet. Elle m'a tendu du tabac. J'ai bourré la pipe qu'elle m'offrait, je l'ai allumée avec une brindille et j'ai aspiré. Les mots de Malek m'apaisaient. J'ai enfoncé mon béret sur ma tête, que j'ai posée sur l'épaule de Thomas.

Encore aujourd'hui, rien ne m'apporte autant de réconfort que ces histoires qu'on me demande parfois de raconter autour d'un feu. J'éprouve alors toujours ce même sentiment de liberté que les récits de Malek avaient éveillé ce soir-là en moi. Certaines choses changent. D'autres restent. Et c'est bien ainsi.

ÉPINES

Quand j'ai ouvert les yeux, Thomas était déjà sorti. Le jour se levait à peine et le campement était silencieux. Les sapins parfumaient l'air. C'est une des choses qui me manquent le plus des nuits sous la tente, cette odeur fraîche et épicée.

Il faut changer le bois quand il commence à sécher et surtout ne pas utiliser d'épinette. J'ai fait cette erreur une fois. J'avais amassé un tas de branches et je tentais, comme Thomas, de les entrecroiser pour créer une masse compacte et solide. Mais les épines me perçaient les mains et les genoux.

Marie m'observait à distance en rigolant. Ma frustration croissait et, au bout d'un moment, comme je n'arrivais à rien, elle s'est approchée et a placé côte à côte des branches de sapin et d'épinette. En les comparant, on voyait que les aiguilles de l'épinette pointent tout autour du rameau alors que celles du sapin sont plates. Les premières blessent, les secondes offrent une surface lisse et soyeuse. Sans que je puisse l'empêcher, des larmes me sont montées aux yeux. Mon ignorance me sautait au visage et je me sentais stupide.

Ma belle-sœur m'a tapoté l'épaule et a commencé à sortir l'épinette de la tente pour la remplacer par du sapin. Elle secouait les bouts de bois jusqu'à ce que chacun trouve sa place comme dans un casse-tête, tissant peu à peu un tapis de verdure solide. Il n'y avait aucun jugement dans son attitude. J'ai ravalé mes pleurs et je me suis remise à l'ouvrage à ses côtés.

Après, je n'ai plus jamais eu besoin d'aide. Et j'ai aussi compris que se morfondre est un luxe que personne ne peut se permettre en forêt.

J'ai pris une dernière grande bouffée d'air odorant puis je me suis levée. Mes belles-sœurs avaient fait un feu devant lequel elles se pressaient en buvant du thé chaud pour chasser la fraîcheur matinale. Le reflet des flammes luisait sur leur peau ambrée. Toutes deux avaient un visage robuste aux traits harmonieux et ce même regard intense.

Je me suis servi du thé, qui a fini de me réveiller. J'ai avalé un peu de viande séchée et nous sommes demeurées un instant à écouter la forêt s'animer. Puis nous nous sommes mises au travail. Il restait de la viande à fumer. Et il fallait s'occuper de tout le reste, la peau, les os, la fourrure.

INNU-AIMUN [X]

Les hommes n'étaient pas revenus de la trappe et nous mangions tous les soirs dans la tente de Marie. Après le repas, nous restions un moment à fumer. Mes belles-sœurs parlaient entre elles et pour moi ce n'était encore que ce chant incompréhensible où parfois je saisissais un mot, une expression. La langue créait autour de moi une barrière dont il m'a fallu du temps pour me libérer.

L'innu-aimun ne se laisse pas apprendre facilement. Elle compte huit consonnes, sept voyelles et quinze sons distincts seulement, alors l'inflexion donnée à un terme peut en changer la signification de façon subtile ou importante. Il n'existe pas d'orthographe, pas de linguistes pour en analyser le sens. Pas de féminin ni de masculin. Il y a ce qui est animé et ce qui est inanimé. Au début, je butais toujours et je n'y arrivais pas malgré mes efforts. Puis j'ai compris qu'il s'agit non pas d'une langue différente, mais d'une autre manière de communiquer que le français. C'est une forme de langage adaptée à un univers où la chasse et les saisons dictent le rythme de la vie. L'ordre des mots n'y a pas la même importance que dans le français. Et il varie selon les circonstances.

Kun, la neige, devient *ushashush* quand il s'agit de « neige folle », *nekauakun* pour de la « neige granuleuse » ou *kassuauan* si on parle de « neige humide ».

La langue est menacée aujourd'hui, car pour bien parler l'innu-aimun il faut l'apprendre sur le territoire. De nos jours, les jeunes lui préfèrent le français qu'on leur enseigne à l'école. Ces petits grandissent aveugles de leur passé, orphelins de leurs origines. Mais qui s'intéresse à tout ça, maintenant? À part les vieux débris comme moi, pour qui le passé constitue l'unique trésor?

* pure & untamed

Des flocons lourds descendaient du ciel avec lenteur, comme s'ils hésitaient. L'hiver s'annonçait à petits pas. Devant cette nature pure et indomptée, je me sentais minuscule, et pourtant j'avais de plus en plus le sentiment d'y trouver ma place.

Je regardais la neige tomber sur la forêt encore endormie quand Christine s'est levée. Je lui ai servi un thé et, comme chaque matin, nous sommes allées faire le tour des collets. Ma belle-sœur nouait les fils de métal et les dissimulait pour ne pas trahir leur présence et, surtout, elle ne touchait pas aux pistes laissées par les lièvres. Ce matin-là, deux lièvres s'y étaient pris. La journée commençait bien.

*

Le travail quotidien – la trappe, la chasse, les bêtes
dont il fallait recueillir la viande et la fumer, les
peaux à conserver – occupait nos journées. Mais le
soir, quand je retrouvais la solitude de ma couche,
les mains de Thomas, ses caresses, son souffle sur
ma nuque me manquaient de plus en plus. Je ne le
connaissais que depuis quelques mois et déjà je souffrais de son absence. Quand il est enfin arrivé, chargé
de pelleteries avec son frère et son père, je lui ai dit
que la prochaine fois nous partirions ensemble.

« On verra, Almanda.

— Non. C'est décidé, Thomas. »

Ça l'a fait sourire de me voir aussi butée.

« C'est dur en haut. Faut marcher longtemps. Faut
préparer les peaux vite.

— Je sais. Tu crois qu'on se tourne les pouces au
campement ? On travaille autant que vous autres, tu
sauras. Je ne t'ai pas suivi ici pour vivre séparée de toi.
La prochaine fois, nous y allons ensemble. Point. »

Il a secoué la tête. Sa manière de baisser pavillon.
J'ai sauté sur lui en riant. J'ai plongé mes doigts dans
ses cheveux, griffé sa peau comme si j'éprouvais le
besoin de me prouver que tout cela était tangible.

· LA MONTAGNE SACRÉE

Deux semaines plus tard, un lourd magma blanc recouvrait le Péribonka. La neige biffait ses aspérités et lui offrait un visage monochrome.

À Saint-Prime, l'hiver inspirait la crainte. Les gens s'enfermaient dans leurs cabanes jusqu'au printemps, vivant des réserves emmagasinées pendant la période des récoltes. L'hiver était une épreuve qu'il fallait traverser.

Chez les Innus, il ne représente qu'une étape dans le cycle de l'année. Le froid mord la chair et fige les cours d'eau. La neige complique les déplacements. En même temps, elle est l'alliée des chasseurs, qui peuvent facilement suivre des proies devenues soudain plus vulnérables.

J'abordais donc ce premier hiver au Péribonka avec un mélange de crainte et d'excitation. Malek m'avait fait cadeau d'une paire de raquettes légères et parfaitement adaptées à mon poids, qu'il avait fabriquées en bois d'épinette et tissées de babiche. Son geste m'avait touchée. Bien que l'ancien se montrât encore plus réservé que ses fils, la barrière de la langue ne nous empêchait pas de nous apprécier.

Malek avait été le premier à porter le nom de Siméon. Jusque-là, la famille se nommait Atuk. Mais les prêtres n'aimaient pas ces mots qu'ils ne comprenaient pas, et ils ont obligé les Innus à utiliser des patronymes français. Ainsi, le clan Atuk est devenu la famille Siméon. Malek était né à Pessamit, sur la Côte-Nord. Un jour que nous étions seuls, il m'a raconté comment il était arrivé jusqu'au Péribonka.

Cela remontait avant l'installation des cultivateurs sur les rives de Pekuakami. Les seuls Blancs qu'on y trouvait étaient les employés des postes de traite de fourrure – celui de Tadoussac avait été le premier, mais la Compagnie de la Baie d'Hudson en avait établi plusieurs autres par la suite.

Alors que Malek venait d'avoir dix-huit ans, une famine avait frappé.

« Les animaux nous évitaient. Réduits à lécher la résine sous l'écorce des sapins, beaucoup d'enfants sont morts de faim. C'était une période de grande inquiétude.

— Et les anciens ? Comment expliquaient-ils cette catastrophe ?

— Même eux ne comprenaient pas, m'a-t-il dit. Personne n'avait jamais rien vu de semblable. Sans doute avions-nous manqué de respect à l'Être supérieur. Quelqu'un avait provoqué sa colère et nous payions tous. »

Malek entrecoupait ses récits de moments de silence, comme s'il plongeait chaque fois plus au fond de ses souvenirs. Il tirait une longue bouffée de sa pipe, puis reprenait son histoire.

« Plutôt que de mourir de faim, j'ai décidé de quitter Pessamit. J'ai remonté la rivière vers le nord. Mais j'arrivais à tuer à peine assez de gibier pour survivre. Affamé, épuisé, j'ai continué, seul au milieu de la forêt silencieuse et, à mesure que j'avançais, la nature se repliait sur elle-même comme celui qui se roule en boule pour résister au froid. Les arbres rapetissaient, leurs troncs durs comme de la pierre devenaient presque impossibles à couper à la hache.

« Quand les premiers froids ont frappé, j'avais dépassé le lac Plétipi. À partir de ce point, les rivières coulent vers le nord-ouest. J'avais atteint la limite de Nitassinan et je m'apprêtais à entrer dans le territoire des Cris. Pour la première fois de ma vie, j'étais un étranger.

« Lorsque l'hiver s'est installé pour de bon, j'arrivais à la fin de la forêt et du monde que je connaissais. Devant moi s'étendait à perte de vue la plaine blanche du Grand Nord. J'ai planté ma tente dans ce désert. Si je mourais, personne ne le saurait. Si je survivais, c'est que l'Être supérieur en aurait décidé ainsi. Arrivé au bout du chemin et de mes forces, je m'en remettais à lui.

« J'avais tout juste assez de bois pour me chauffer et pas beaucoup à manger. Parfois, des tempêtes féroces me forçaient à me réfugier dans ma tente pendant plusieurs jours à écouter la fureur du vent. Seul dans la tourmente, je priais pour mon salut et celui des miens.

« Le temps et l'espace s'estompaient. Mes sens s'engourdissaient à mesure que mes forces m'abandonnaient. J'étais prêt à accepter mon destin.

« Puis, un matin de froid si intense qu'une fine couche de givre s'était cristallisée sur la neige, le sol a commencé à trembler. Un grondement sourd est monté et ma tente s'est agitée comme une feuille au vent. J'ai saisi mon arme et me suis précipité dehors. La lumière éclatante m'a aveuglé. Alors peu à peu est apparue devant moi une forêt mouvante qui s'étendait à perte de vue.

« Mon grand-père m'avait parlé d'*atuk*, maître de la plaine nordique. Mais je n'avais jamais vu le grand troupeau ni autant d'êtres vivants réunis au même endroit. *Atuk* fuyait le froid polaire de l'hiver arctique. Les bêtes avançaient serrées les unes contre les autres et je les ai regardées passer devant moi. Un vieux mâle se tenait en retrait. J'ai visé avec ma carabine et tiré. *Atuk* est resté sur le sol pendant que la marée de ses congénères s'est éloignée. Je l'ai remercié d'avoir fait ce chemin pour me permettre de survivre. J'avais maintenant assez de viande pour tenir jusqu'au printemps. *Atuk* m'avait sauvé la vie.

« Au fil des jours, le vent s'est fait moins cinglant et le temps s'est réchauffé. Je suis parti avant que la neige devienne trop molle pour mes raquettes. J'ai retrouvé mon canot là où je l'avais laissé. J'ai monté ma tente près de la rivière. Il fallait maintenant attendre le dégel.

« Quand le courant a emporté les glaces, plutôt que de redescendre vers Pessamit, j'ai suivi une petite rivière qui coulait vers l'ouest. En traversant un lac, j'ai aperçu au loin un massif comme je n'en avais

jamais imaginé. Au milieu de ces montagnes isolées, un géant de granit frôlait les nuages. Je me suis
dirigé vers lui et, une fois rendu, j'ai commencé à
grimper. Plus je montais, plus la végétation s'estom-
pait. Bientôt je marchais sur la pierre nue, insensible
au vent, au froid et au soleil. La sueur coulait sur
ma nuque, le froid vitrifiait la peau de mon visage.
Malgré la douleur, un sentiment de paix me gagnait
à mesure que je prenais de l'altitude. Je ne souffrais
ni de la fatigue, ni de la faim, ni des morsures du
vent. Cette montagne dépouillée cachait en elle une
magie qui touchait celui qui avait le courage de s'en
approcher.

« Arrivé au sommet, j'ai vu tout Nitassinan se
déployer à mes pieds. Seul entre ciel et terre, j'ai
vu d'où je venais et où j'irais. Il faisait nuit lorsque
j'ai enfin regagné ma tente. Étendu sur ma couche,
j'entendais le vent qui sifflait au sommet de la montagne sacrée. Au matin, j'ai ramassé mes affaires.
Plusieurs cours d'eau prennent leur source dans les
monts Otish. Certains coulent vers l'ouest et le pays
des Cris et des Inuit. Quelques-uns descendent vers
le sud, la terre des Innus.

« J'ai opté pour une petite rivière aux eaux trans-
parentes qui filait vers le sud-ouest. Bientôt, je ramais
à nouveau au milieu de la forêt en suivant ce chemin
qui se glissait entre des cimes imposantes.

« À mesure que le temps se réchauffait, le gibier
devenait plus abondant et je ne ressentais plus le
besoin de me presser. Sur les rives d'un grand lac, j'ai
croisé un vieux et sa femme, qui avaient passé l'hiver

dans le secteur. Ils étaient les premiers humains que
je rencontrais depuis l'automne d'avant, et ils étaient
étonnés de voir un chasseur descendre du Nord.
L'homme m'a demandé d'où j'arrivais.

« "Je viens de Pessamit, mais j'ai quitté mon territoire depuis belle lurette. Et pour être franc, je ne
sais pas trop où je suis maintenant."

« Le vieillard m'a fixé un moment de son regard
placide.

« "Tu as passé l'hiver là-haut ?

« — Oui. J'ai vu la plaine et le grand troupeau de
caribous. Et des montagnes aux cimes nues.

« — Tu as eu de la chance de ne pas y rester…
Tout seul là-bas à ton âge… Ce n'est guère prudent.
L'hiver est impitoyable."

« Sa vieille nous observait à distance. Remarquant
mes traits tirés et ma maigreur, le vieux chasseur a
eu pitié de moi.

« "J'ai tué un caribou des bois, hier. Il y en a beaucoup dans le secteur ce printemps. C'est une chance.
Tu mangeras avec nous."

« Je l'ai remercié de son hospitalité.

« La soirée était d'une douceur inhabituelle et nous
avons soupé dehors devant le feu comme en été. La
femme m'a servi des bleuets dans de la graisse d'ours.
Comme ma *kukum* faisait autrefois. Mes hôtes se montraient discrets et réservés. L'homme m'a expliqué
que nous étions au lac Péribonka et que la rivière qui
m'avait mené jusque-là portait le même nom.

« "Elle descend jusqu'à Pekuakami, m'a-t-il dit.
C'est là que les Ilnuatsh passent l'été."

« J'avais entendu parler par les anciens du lac des Innus à la limite ouest de Nitassinan.

« "Vu sa taille, je croyais que ce lac-ci était Pekuakami."

« La femme, qui n'avait pas encore ouvert la bouche, a levé les yeux et a souri.

« "Quand tu verras Pekuakami, tu comprendras."

« Je me suis réveillé le lendemain à l'aube. Le vieux était déjà parti faire le tour de ses collets. J'ai remercié sa femme. Elle m'a salué de la main puis a continué son travail.

« J'ai chargé mon bagage sans savoir ce qui m'attendait. Devant moi, le lac s'étendait à perte de vue. À l'est comme à l'ouest, des baies profondes s'enfonçaient dans le bois. Le vieux m'avait indiqué le portage pour contourner des chutes infranchissables, et je me suis mis en marche.

« J'avais quitté mon village depuis presque un an. J'avais connu la faim et la fatigue. Ce voyage aux confins de Nitassinan m'avait conduit jusqu'à cette rivière dont le courant me portait maintenant.

« Après deux semaines, au détour d'un méandre, le lac est apparu derrière des bancs de sable. J'étais arrivé au terme de mon voyage. »

Malek et moi avions donc en commun d'avoir découvert un monde nouveau à peu près au même âge. Thomas et les autres avaient passé leur vie à remonter et à descendre la rivière Péribonka. Mais pour l'ancien et moi, elle avait fait irruption dans nos existences et nous avait marqués chacun à notre manière.

72

Alors que sa vie vacillait, animé par une foi presque mystique, Malek avait choisi de suivre sa destinée, convaincu qu'elle le guiderait. *Atuk* lui avait montré le chemin.

Moi, c'était le regard d'un homme qui m'avait incitée à tout abandonner et, comme lui, j'avais fini par trouver le mien.

ma place

Je crois que c'est pour ça que Malek a toujours éprouvé pour moi une certaine tendresse. Nous venions de mondes opposés, mais le même désir de liberté nous avait conduits vers Péribonka.

le thème →

LA GRANDE CHASSE

Thomas m'a demandé de préparer mes affaires.

« Où allons-nous ?

— En haut. On part demain. »

J'ai ressenti une pointe d'excitation dans le ventre. Lui aussi détestait ces longues séparations. J'ai préparé nos bagages et les provisions pour le voyage. Christine s'inquiétait un peu.

« C'est dur, Manda, là-bas. Rien ne presse. Tu as tout le temps pour y aller.

— Merci, Christine, de te faire du souci pour moi. Je veux tout connaître. Thomas veillera sur moi. J'ai confiance en lui.

— Moi aussi, Manda. Mais j'ai peur qu'il soit si attaché à toi que ça fausse son jugement. »

Avec le recul, je comprends ses réticences. J'avais encore tout à apprendre.

À l'aube, nous nous sommes mis en marche. La forêt semblait figée dans le froid. La neige crissait sous nos raquettes. Nous avons contourné deux montagnes et le soleil a émergé au-dessus des cimes. Nous avons suivi en direction du nord une petite rivière sinueuse bordée de gros sapins aux lourds bras blancs. Nous avancions à un bon rythme, ne nous arrêtant que pour dîner en vitesse. Thomas traçait le chemin dans la neige et je marchais dans ses pas. Le soleil dorait nos visages.

« Tu tiens le coup, Almanda ?

— Je ne suis même pas fatiguée. Je te rappelle que je suis endurante et plus jeune que toi ! »

Nous étions insouciants. « Téméraires », aurait ajouté ma belle-sœur. « Heureux », aurions-nous répondu.

Malek avait fabriqué mes raquettes en tenant compte de ma taille et de mon poids, et j'arrivais à suivre Thomas sans peine. La nuit tombe rapidement à cette latitude, et nous avons planté notre tente dès que le soleil a commencé à décliner. Thomas a choisi une berge enneigée protégée du vent par de grands arbres. Une fois la tente montée, il a creusé à la hache un trou dans la glace de la rivière et il a mis des lignes à l'eau. Nous avons mangé un repas de viande séchée et nous nous sommes couchés, serrés l'un contre l'autre près du poêle. Seul le bruit de nos respirations brisait le silence de la nuit nordique.

Le lendemain matin, Thomas est sorti tôt et revenu avec deux dorés. J'avais allumé le feu et nous avons mangé avec appétit les poissons frais. Nous avons marché ainsi cinq jours avant de nous installer sur le bord d'un lac entouré de collines, où nous sommes restés quinze jours. Nous avons attrapé des martres, des visons et même des loups-cerviers en abondance. Nous mangions la viande des bêtes puis séchions les peaux. Ensuite, nous nous sommes déplacés vers l'ouest où nous avons cette fois campé en plein bois.

Le mercure chutait et le vent soufflait jour et nuit. Nous nous trouvions à proximité de plusieurs cours d'eau, et j'aidais Thomas avec les pièges et les collets. Il faisait froid, certes, mais nous ne manquions de rien.

Une semaine plus tard, nous avons déménagé à un jour de marche, dans un secteur plutôt plat où la neige était moins épaisse. Nous avons posé nos pièges près d'une rivière assez large, mais le gibier était rare alors nous avons bougé de nouveau. Pendant un mois, nous avons ainsi traqué les animaux à fourrure. Les peaux s'accumulant, notre fardeau devenait de plus en plus lourd à tirer, ce qui rendait chaque déplacement éprouvant.

Cette perpétuelle quête avait quelque chose de grisant. Il est difficile de deviner si un endroit est propice à la trappe. Il faut tenter sa chance et espérer. J'ai appris, pendant ces semaines de grande chasse avec Thomas, à ménager mon énergie et à poser toutes sortes de pièges. Nous vivions en symbiose, et chaque soir nous nous retrouvions dans la tente. Il y avait une forme de candeur dans cet amour, pourtant cela ne l'a pas empêché de durer.

Au bout de cinq semaines, ayant accumulé assez de peaux, toutes séchées et conservées avec soin, nous avons enfin regagné le camp de base. Les yeux brillants de Malek ont été un cadeau. Son approbation avait beaucoup d'importance pour la chasseuse que je devenais. Marie a préparé un repas de *mush* et nous avons tous mangé avec appétit. La saison de chasse s'annonçait sous des auspices favorables.

Il m'arrivait encore de penser de temps en temps à ma tante et à mon oncle. Chaque heure du jour, où que je sois, quoi que je fasse, je savais où ils étaient et ce qu'ils faisaient. En choisissant la vie en territoire, j'avais choisi la liberté. Certes, celle-ci avait un coût et venait avec des responsabilités envers les membres de son clan. Mais j'avais enfin le sentiment de vivre sans chaînes.

RETOUR

Partout où il existe, les êtres humains aiment le printemps. Après des mois sans lumière, ils ont l'impression de renaître.

Au redoux, Saint-Prime s'animait. Le dimanche, à la messe, les femmes étrennaient leurs nouvelles robes. Les hommes troquaient leurs chapeaux de castor contre des couvre-chefs de feutre. Dans ses homélies, à l'église, le curé incitait ses ouailles à redoubler de prières pour le salut des récoltes à venir, car le travail à la ferme pouvait enfin reprendre.

Pour les Ilnuatsh, le printemps constituait aussi une période d'agitation. Après avoir vécu isolées sur leurs territoires de chasse, les familles se préparaient à retourner à Pointe-Bleue. Le temps des retrouvailles approchait.

Le gibier se faisait rare, car la neige alourdie l'empêchait de sortir, et tous avaient hâte de partir. Mais il fallait attendre que la glace ait libéré les rivières. Le voyage nécessitait plusieurs jours d'organisation. Certaines choses seraient laissées derrière. Les grosses tentes, les raquettes et autres objets qui seraient inutiles pendant les mois d'été étaient entreposés dans des abris surélevés pour les protéger.

Nous avions amassé une belle récolte de peaux, et cela contribuait à la bonne humeur qui régnait dans la famille. Pour ma part, je me sentais déchirée entre la tristesse de quitter le Péribonka, où j'avais vécu des mois heureux, et l'excitation à la perspective d'entreprendre de nouveau un long voyage.

Pour Thomas et les autres, la descente vers Pekuakami revêtait un caractère solennel. Elle annonçait la fin d'un cercle.

Nous nous sommes mis en branle avant l'aube, dans la lumière bleutée de la pleine lune. En plus de son canot, Thomas portait sur son dos un gros sac retenu à ses épaules par des lanières de cuir. Mon bagage était lourd et je peinais pour marcher. Malek tirait le traîneau rempli de notre trésor de fourrures. Absorbés par leur tâche, tous avançaient en silence. Le soleil brillait encore dans le ciel quand nous avons enfin atteint la rivière Péribonka.

La glace était toujours prise et nous avons dû attendre quelques jours sur place. Quand le courant l'a emportée dans un grand fracas, nous étions prêts. Les chutes hurlaient derrière nous et le rapide nous a vite entraînés. Les canots fendaient les vagues qui venaient se briser sur l'écorce, éclaboussant nos visages. Le vent dansait dans nos cheveux et une joie puissante nous habitait.

Quelques mois plus tôt, j'aurais été terrifiée de me retrouver au milieu d'une masse mouvante dans une fragile embarcation alourdie par l'équipement que nous y avions entassé. Mais la Péribonka n'était pas une ennemie. Elle était une alliée qui nous ramenait en valsant vers Pekuakami.

LA FOURCHE MANOUANE

Lent lac

Gonflée par la crue printanière, la Péribonka offrait un visage fort différent de celui que j'avais découvert l'automne précédent. Les eaux vives s'étaient transformées en torrents sur lesquels notre petite caravane flottante devait manœuvrer avec prudence. À l'arrière, Thomas guidait notre canot d'une main sûre, et moi je plaçais son nez au centre du V qui se formait au milieu des remous. Quand les vagues nous chahutaient trop, il fallait surtout éviter de s'accrocher aux rebords du canot, ce qui l'aurait aussitôt fait chavirer. Nous devions alors lever les bras en tenant la rame au-dessus des épaules pour le stabiliser.

Parfois, le canot plongeait et la rivière semblait sur le point de nous engloutir. Chaque fois, mon cœur se serrait. Mais l'embarcation se redressait et poursuivait son chemin sur les flots exubérants. Le bruit des vagues sur la coque imitait le son d'une main frappant un tambour et rythmait notre danse sur l'eau.

Il nous a fallu sept jours à peine pour arriver à l'embouchure de la rivière Manouane. Je découvrirais plus tard ce somptueux cours d'eau qui se fraie un chemin entre de vertigineuses falaises de granit noir jusqu'à un beau lac entouré de collines vertes. Nous appelions cet endroit la Fourche Manouane, et plusieurs familles s'y arrêtaient quelques jours, ou quelques semaines.

« On va rester ici un peu », a décrété Malek.

Nous nous sommes installés sur une pointe de sable à l'écart des autres. C'était la première fois que je voyais autant d'Innus réunis au même endroit en dehors de Pointe-Bleue. Après des mois de vie isolée en territoire, il faisait bon se retrouver dans le petit village de tentes. Les gens riaient, les enfants couraient et jouaient ensemble. Je reconnaissais quelques visages croisés l'été précédent. Certains avaient assisté à notre mariage et semblaient heureux de me revoir. Ces retrouvailles chaleureuses prenaient une signification particulière pour moi, dont la blondeur des cheveux et le bleu des yeux rappelaient à tous mes origines.

Au fil des mois, j'avais fait de gros efforts pour apprendre l'innu-aimun, et j'arrivais maintenant à me faire à peu près comprendre. Thomas et sa famille connaissaient mes difficultés et s'appliquaient à s'exprimer lentement. Mais dans l'ambiance de kermesse de la Fourche Manouane, les gens parlaient beaucoup trop vite pour que je saisisse tout. Quand je perdais le fil de la conversation, je me contentais de rire. Le rire, tous les Innus le comprennent.

Le soir, tout le monde se réunissait autour d'un grand feu. Un aîné sortait son tambour et donnait le rythme. La danse pouvait commencer.

Chez ma tante, danser avait quelque chose de dangereux dont il fallait se méfier. Mais les Innus croient que la danse apaise l'âme des animaux et qu'elle exprime l'amour qu'ils éprouvent les uns envers les autres.

Les danseurs suivaient le rythme du tambour. Ils évoluaient d'un pas à la fois saccadé et langoureux autour des flammes qui rougeoyaient sur les visages. Je les observais avec fascination. Jamais je n'avais vu autant d'hommes et de femmes lancés dans un élan commun. Sans doute Christine l'a-t-elle noté, car elle m'a prise par le bras et m'a entraînée dans le cercle des femmes. Les hommes, dont Thomas, formaient leur propre ronde et les deux troupes tournaient dans le sens du soleil.

Seul à chanter, l'aîné au tambour les guidait parfois de sa voix. De temps en temps, un des hommes criait « Hehh ». Ou un danseur se retournait en grimaçant pour faire rire celui ou celle qui le suivait. Certains gardaient leurs mains serrées contre leur poitrine, d'autres laissaient leurs bras se balancer à la cadence de leurs pas.

La pleine lune dispensait une douce lumière, les chants des Innus se perdaient dans la forêt d'ombres. Le froid avait enfin relâché son emprise et la danse autour du feu réchauffait autant les cœurs que les corps.

Quand nous sommes rentrés, Thomas m'a poussée sur notre couche. Il a retiré mes vêtements un à un avec un mélange de lenteur et de précipitation. Ses mains ont glissé sur mes hanches, palpé mon ventre, mes seins. Ses paumes me brûlaient la peau. J'ai agrippé son visage, je l'ai embrassé à pleine bouche.

toujours la vie intime.

Quand je ferme les yeux, ce vertige m'habite toujours. Personne, pas même la mort, ne pourra m'en priver.

Après quelques semaines, nous avons levé le camp et continué notre route. À mesure que nous avancions, le relief s'adoucissait. La forêt prenait des teintes de vert plus clair. On pouvait sentir le lac tout près et nous ramions plus fort encore.

Pekuakami est apparu au détour d'un méandre, immense et imposant. Après des mois en forêt, son horizon infini nous aveuglait de lumière.

thème

Le bonheur est une chose difficile à définir. Mais c'est bien ce que j'ai ressenti à cet instant précis, dans ce canot partagé avec Thomas, entourée des nôtres, devant le lac. Notre lac. Nous avons glissé sur lui en silence, trop émus pour ouvrir la bouche. D'autres caravanes nous devançaient et nous suivaient. Le long voyage des Innus tirait à sa fin.

En passant devant la rivière à la Chasse, j'ai revu les images de Thomas la montant pour me retrouver. Je lui ai jeté un coup d'œil. Il a souri. Ma tante et mon oncle devaient travailler aux champs à cette heure. Juin est un mois crucial pour les fermiers. Les semences commencent à éclore. Les hommes s'échinent en priant le Ciel pour de la pluie ou du soleil.

À Pointe-Bleue, le village paraissait à la fois pareil à celui que j'avais quitté à la fin de l'été et différent. Pourtant, j'avais l'impression de revenir chez nous.

Nous nous sommes installés au pied de la colline, près de l'église, là où j'ai fait bâtir ma maison plus tard.

LE MAGASIN DE LA BAIE D'HUDSON

Le lendemain de notre arrivée, j'ai accompagné Thomas et son père au magasin de la Baie d'Hudson pour y vendre nos peaux. C'était une bâtisse en bois rond à bonne distance du chemin, installée devant le lac pour accueillir les canots. Une odeur d'épices et de peau fumée régnait à l'intérieur. Les tablettes débordaient de marchandises de toutes sortes, des vêtements, de la farine, de la graisse, de la vaisselle. Bourru et âpre négociateur, Tommy Ross, le gérant, était un ancien coureur des bois. Je me suis souvent disputée avec lui et son acolyte, Skeen, sur le juste prix de nos précieuses fourrures. Moi aussi, je savais me montrer intraitable.

Ross a paru impressionné par la quantité et la qualité de ce que nous avions à lui offrir. Après une longue discussion, il a convenu de nous en donner cent dix dollars, ce qui représentait une somme considérable à l'époque. Je n'avais jamais vu autant de billets de ma vie. L'été pouvait commencer.

Chaque jour, de nouvelles familles arrivaient et s'installaient. Elles vendaient leurs peaux à Tommy Ross et faisaient des provisions à son magasin.

Certains, pour qui la chasse de l'année précédente avait été moins bonne, devaient payer la dette contractée l'automne d'avant. L'homme de la Baie d'Hudson faisait facilement crédit, sachant fort bien que ses débiteurs le rembourseraient avec intérêts le printemps suivant.

Après des mois d'une vie austère en territoire, l'argent brûlait les mains de beaucoup d'Innus, qui le dépensaient sans compter. Les femmes s'achetaient des robes élégantes, les hommes, des complets qu'ils portaient avec d'étranges chapeaux hauts de forme ou melons. Ross leur vendait toutes sortes d'objets plus ou moins utiles et récupérait vite les billets qu'il leur avait cédés. Moi qui avais vécu dans une ferme, où l'on comptait avec soin chaque cent, ces dépenses paraissaient frivoles. Même Thomas, si sage et si prévoyant, gaspillait au-delà de ce qui me semblait raisonnable.

J'hésitais à aborder cette question avec lui ou même avec mes belles-sœurs, de crainte de les vexer. Je me suis confiée à Malek une journée où nous étions seuls, sachant que le vieil homme ne me jugerait pas.

« Pourquoi tout le monde jette son argent par les fenêtres ? »

Il m'a fixée de ses yeux d'un beau marron délavé.

« Jeter par les fenêtres ?

— Toutes ces choses que les gens s'achètent, des robes à froufrous et des chapeaux, c'est ridicule. C'est du gaspillage. Pourquoi ne pas en mettre au moins un peu de côté ? »

Il a hoché la tête.

«À quoi sert l'argent dans le territoire?

— À rien, c'est sûr, mais on peut en avoir besoin plus tard. On n'est jamais à l'abri d'une mauvaise saison de chasse. Un petit coussin, ça peut servir.

— Qui sait si nous reviendrons? On pourrait décider d'aller ailleurs l'été prochain. À Pessamit, par exemple. Ou à Essipit. Ou encore à Uashat Mak Mani-Utenam. C'est beau, là-bas. Dans ce cas, à quoi servirait ce que tu aurais laissé ici?

— Mais Malek…

— Dans quelques semaines, a-t-il continué, nous repartirons tous vers nos territoires. Ce qu'un Innu a de plus précieux, Almanda, il doit pouvoir l'emporter avec lui.»

Le lendemain, quand Thomas, qui devait se rendre au magasin de la Baie d'Hudson, m'a demandé ce qui me ferait plaisir, j'ai répondu: des livres. Lui qui ne savait ni lire ni écrire a paru décontenancé.

«Je pensais à une robe ou à un collier. Une ombrelle?

— J'aimerais emporter des livres là-haut cet automne.»

Il n'y avait pas de livres sur les étagères de Tommy Ross. Il a fallu aller en canot jusqu'à Roberval. J'en suis revenue avec des romans et une bible.

TOURTERELLES TRISTES

peace, hope, transformation mourning doves

Deux semaines après notre arrivée à Pointe-Bleue, Thomas et moi sommes allés visiter ma tante et mon oncle par un matin sans vent. Le soleil montait et, peu à peu, chassait la brume qui s'accrochait aux berges. Nous avons remonté la rivière à la Chasse, qui coule entre des talus d'herbe haute. Ces lieux où j'avais grandi me paraissaient maintenant à la fois familiers et étrangers.

J'ai reconnu de loin la butte où paissaient nos vaches. Nous avons laissé le canot sur le sable brun et nous sommes mis en marche. Dans les champs, les bêtes broutaient sans relâche. Derrière une belle boulaie est apparue la maison aux murs de planches peintes en blanc. Elle me semblait plus petite que dans mes souvenirs.

Mon oncle coupait du bois et le bruit sec du métal fendant les bûches résonnait dans l'air tiède. Absorbé par sa tâche, le front trempé, il a mis du temps à remarquer la présence de visiteurs sur sa terre. Il en venait si peu. Quand enfin il nous a aperçus, il a hésité un moment, se demandant sans doute ce que voulaient ces deux Indiens. Mais soudain son visage s'est éclairé. Je ne l'avais pas vu sourire souvent et ça m'a fait chaud au cœur. Il a hélé ma tante en faisant un grand geste.

« Thérèse ! Viens voir la grande visite qui nous arrive ! »

Une petite femme est sortie sur le porche, chétive dans sa robe de toile grise. Malgré la distance, je pouvais voir qu'elle plissait les yeux, fouillant l'horizon.

« Almanda ? C'est toi ? »

J'ai répondu par un signe de la main et elle a levé les bras vers le ciel. Elle et mon oncle m'ont embrassée.

J'avais souvent eu l'impression de représenter un poids pour eux et cru que, poussés par leurs convictions religieuses, ils m'avaient prise en charge par charité chrétienne. La joie sincère qu'ils exprimaient en me voyant m'a émue. Ils étaient tout ce que j'avais eu de famille avant de rencontrer Thomas.

Nous avons bu du thé sur la galerie au milieu des champs qui avaient longtemps été tout mon monde. Ma tante me posait question après question. Et elle écoutait chacune de mes réponses avec attention.

« J'ai beaucoup prié pour toi, cet hiver. Je m'inquiétais. Si t'es bien là-bas, Almanda, c'est tout ce qui compte, petite.

— Ne vous en faites pas, ma tante. On est très bien, on ne manque de rien. Vous savez comment je n'ai jamais réussi à rester en place. J'étais toujours partante pour aller au village faire les commissions ou aider mon oncle à couper du bois. »

Elle a hoché la tête en souriant.

« Eh ben là, je suis servie, ma tante. »

Elle a ri avec moi. Nous avons mangé de sa soupe au chou dans laquelle elle avait mis un peu de lard. Elle m'a donné des nouvelles du village. Le projet de construction d'église avançait. Plusieurs habitants, dont mon oncle, trouvaient que c'était une trop grosse dépense. Mais le curé disait que ça attirerait des paroissiens à Saint-Prime.

Beaucoup de colons viendraient en effet s'établir, non pas attirés par l'église, mais par les richesses de la région. Ce jour-là, sous le chant mélancolique des tourterelles tristes qui picoraient avec patience dans l'herbe, tout cela paraissait loin.

Nous sommes partis après le dîner. Mon oncle et ma tante m'ont embrassée. Il est retourné à son champ et elle nous a regardés nous éloigner. Quels sentiments occupaient le cœur de cette femme à ce moment? Se doutait-elle que nous ne nous reverrions pas? La maladie l'a emportée l'hiver suivant. Sa santé n'avait jamais été solide et la vie rude à la ferme l'avait épuisée. Mon oncle, brisé, a vécu seul quelques années, s'échinant de l'aube au crépuscule sur son bout de terre.

C'est le curé, inquiet de ne pas l'avoir vu à la messe depuis deux semaines, qui l'a trouvé mort dans son fauteuil près du poêle à bois. Ses funérailles ont été célébrées dans la nouvelle église qui venait tout juste d'être inaugurée.

LE MARIAGE

Alors que pour les fermiers l'été représentait une
période de travail intense sur la terre, pour les Innus,
après des mois de vie dans le froid et la neige, c'était
au contraire un temps d'insouciance. C'était aussi la
période des mariages.

Marie avait rencontré pendant l'hiver un jeune
homme dont le territoire se trouvait en haut du lac
Manouane, et elle avait passé quelques semaines à
chasser avec lui et ses frères dans le Péribonka. L'an-
nonce de son union nous a remplis de joie, bien que
cela signifiât que notre clan perdait un membre.
Même si elle ne le montrait pas, cela affectait Christine. Les deux sœurs avaient toujours été inséparables.

Nous avons célébré le mariage pendant l'été. Une
tente de sudation a été montée pour l'occasion. Ce
n'était qu'une hutte en branches de saules liées entre
elles dont le sol avait été recouvert de peaux. On a
allumé un feu à l'intérieur, qui a été confié pendant
quatre jours et quatre nuits à un gardien.

Au bout de ce temps, la tente était prête. Tous
les proches, dont je faisais partie, se sont rassemblés
autour. Le gardien a jeté sur les pierres brûlantes

une mixture à base de cèdre, et une vapeur dense a empli la hutte. Il faisait sombre et la chaleur y était à peine supportable. L'air brûlait les poumons, piquait les yeux. Ma tête s'est mise à tourner et je me suis agrippée à Thomas pour ne pas tomber.

Plus tard, quand j'y ai été mieux préparée, j'ai pu apprécier les vertus des tentes tremblantes et, dans les moments de doute ou de colère, je m'y suis souvent réfugiée. Mais cette première fois, sans la présence rassurante de Thomas et des autres, je me serais enfuie à toutes jambes. Au milieu de la hutte enfumée, le temps et l'espace se mêlaient et mon esprit dérivait entre les ombres.

Quand nous sommes enfin sortis de là, Marie est restée. Elle y a passé toute la nuit pendant que son futur mari dormait dans une autre tente.

Le lendemain, une foule nombreuse s'est pressée autour des futurs époux.

Comme Thomas et moi l'avions fait un an plus tôt, à tour de rôle ils ont fumé la pipe. Des volutes blanches sont montées vers le ciel, vers celui que j'appelais Dieu et que Thomas nommait l'Esprit supérieur. Ils ont prononcé leurs vœux devant tout le monde et on leur a servi une décoction de cèdre dans un vase à double col. Après, nous avons tous dansé autour d'un grand feu face au lac. Marie, d'habitude si réservée, souriait sans cesse. Son bonheur faisait plaisir à voir.

La fête s'est étirée jusqu'à tard dans la nuit, et quand je me suis couchée j'étais vidée de mes forces. Thomas aussi, car il s'est endormi en posant la tête sur mon épaule.

Je suis restée éveillée dans le noir, bercée par le rythme lent de sa respiration. Le mariage de ma belle-sœur me ramenait au mien et à ma vie qui avait basculé. Un long vertige m'a traversée et je me suis pressée contre lui.

RÉCIT

Lire est une des rares activités de mon ancienne vie à laquelle je n'ai pas renoncé. Dans la maison où j'ai grandi, malgré le dénuement dans lequel nous vivions, les livres occupaient une place importante.

Il y avait une bible, bien sûr. Je l'ai si souvent lue que j'en connais encore de grands pans par cœur. Quand j'étais enfant, l'Ancien Testament a nourri mon désir d'aventure. Abraham, le combat de David contre Goliath et les récits mystiques des prophètes, l'Exode, toutes ces histoires évoquaient un monde mystérieux et exotique. Je rêvais de voir le désert, la mer Morte, le Jourdain, le pharaon, et Moïse ouvrant un chemin dans la mer Rouge.

Ma tante possédait aussi des romans, qu'elle gardait à l'abri des regards dans un petit meuble de bois et que j'ai tous lus plusieurs fois. La professeure de notre école, une jeune femme à l'esprit vif et indépendant, avait remarqué mon inclination pour la lecture et elle me prêtait autant de bouquins que je le voulais. Si bien que, malgré le fait que nous vivions au fond d'un rang de la colonie, les livres ont alimenté ma curiosité dès mon plus jeune âge.

Les légendes de Tshakapesh, Aiashess et toutes celles mettant en scène Kuekuatsheu (Carcajou) que racontaient les anciens me plongeaient dans le même état de rêverie que les livres. Néanmoins, ayant grandi avec ces derniers, je ne m'imaginais pas vivre sans eux.

Le premier hiver, j'ai apporté une dizaine de romans. Un livre par mois passé en territoire. Ça fait quand même pas mal si on considère tout l'essentiel qu'il faut déjà traîner. Au moment de partir, Thomas a mis les livres dans son bagage et c'est lui qui les a montés.

Je lisais surtout le soir dans la tente en m'éclairant à la chandelle. Quand j'ai eu mes enfants, les absences de Thomas me paraissaient ainsi moins difficiles. Je leur faisais la lecture à voix haute.

Un jour, Anne-Marie, ma fille aînée, qui devait avoir cinq ans à l'époque, m'a interrompue alors que j'étais en train de lui lire *Le Comte de Monte-Cristo*.

« Pourquoi fais-tu ça, maman ?

— Faire quoi, petite ?

— Pourquoi as-tu besoin de ça, a-t-elle demandé en désignant le bouquin, pour raconter une histoire ? »

Elle me fixait de ses grands yeux.

« Tu n'aimes pas les histoires, Anne-Marie ?

— Oui, maman. Surtout celle de Kuekuatsheu. Je le trouve drôle. Mais tes histoires, je ne les comprends pas toujours. Et elles ne sont pas drôles. »

Je l'ai attirée vers moi et l'ai prise dans mes bras. Nos récits, transmis de bouche à oreille, relatent l'histoire du territoire et de tous les êtres qui y vivent.

Celle que je lui lisais évoquait un continent et un univers dont elle ignorait tout. Anne-Marie, ayant vu le jour et grandi au Péribonka, ne connaissait rien des comtes et de leurs batailles. Avais-je tort de tenir à mettre mes enfants en contact avec ce monde si loin d'eux? J'ai caressé ses cheveux de jais et pris son visage entre mes mains pour l'approcher du mien.

« Tu sais, Anne-Marie, ce ne sont que des histoires. Comment on les raconte importe peu. Les livres nous parlent à leur manière. Il faut aussi les écouter. »

Elle m'a observée, son regard incertain fouillant le mien.

« D'accord, maman. »

Ma fille a posé sa tête sur mon sein et j'ai repris la lecture.

Aucun de mes enfants n'a hérité de mon amour des livres. Mais tous savent lire. Leurs enfants sont allés à l'école. Et certains de mes arrière-petits-enfants étudient maintenant à l'université.

Parfois, il faut du temps pour qu'on récolte les fruits d'un arbre. Parfois, il faut attendre toute une vie.

LA BOSSE DE CANOT

À la fin de l'été, Malek décidait du départ vers le Péribonka. Dès que nos bagages étaient prêts, il s'installait face à Pekuakami le matin, scrutant l'horizon, cherchant des signes à travers les nuages et le ciel.

L'ancien craignait les colères du lac, qui éclatent souvent sans prévenir. Encore aujourd'hui les grands bateaux restent au quai par mauvais temps. Il ne donnait l'ordre de départ que lorsqu'il avait la certitude que nous aurions du beau jusqu'à l'embouchure de la rivière. Les vieux savaient lire le ciel comme dans un livre. Cet automne-là, Malek n'aimait pas ce qu'il voyait. Après avoir observé le lac de son regard usé, il était retourné en silence à sa tente.

Les jours passaient et le temps restait mauvais. Toute la famille piaffait d'impatience de se mettre en route, bien sûr, d'autant plus qu'il est imprudent de partir trop tard. Le gel arrive tôt aux Passes-Dangereuses, et quand de la glace se forme au nord, la rivière transporte des écueils qui risquent d'éventrer les canots.

Au bout de trois semaines d'attente, Malek n'était toujours pas rassuré, mais le temps pressait et il a quand même fallu se mettre en route sous un ciel menaçant. Nous ramions à bonne cadence, mais à peine deux jours plus tard le vent du nord-est s'est réveillé. Il a soulevé le lac, nous obligeant à nous mettre à l'abri. Une pluie lourde poussée par le vent tombait en rafales, de grosses vagues venaient s'écraser sur la plage en rugissant. Il n'y avait rien d'autre à faire qu'attendre. Malek cachait du mieux qu'il le pouvait son inquiétude, mais chaque jour qui passait le rendait plus soucieux.

Enfin, un matin, un soleil rouge est monté au-dessus du lac. Nous avons mis les canots à l'eau sans prendre le temps de déjeuner. Nous avons ramé à double cadence et la sueur a coulé sur nos tempes. Quand nous avons enfin aperçu l'embouchure de la rivière, la lumière déclinait. La fatigue commençait à se faire sentir, et pourtant notre voyage commençait à peine.

Je n'avais que seize ans mais l'orgueil d'une centenaire, alors je ne me plaignais pas. Les portages étaient durs, d'autant plus que je n'avais pas encore sur mon cou ce renflement de chair qui se forme à l'endroit où s'appuie la barre transversale du canot et qui sert de coussinet. Tous les Innus dans ce temps-là avaient une bosse de canot. Elle a fini par se former au bout de quelques années sur ma nuque à moi aussi et, presque cent ans plus tard, elle est toujours là, incrustée sous la peau. Mais à l'époque, l'embarcation me meurtrissait le dos et, malgré la douleur, je refusais l'aide des autres.

Les jours se suivaient et le temps restait maussade. Le ciel noir crachait sa pluie froide, le vent ralentissait les canots. Parfois, la rivière démontée nous obligeait à trouver refuge sur la berge, car Malek craignait que l'eau mouille nos réserves de farine et de sucre. Malgré tous nos efforts, notre retard s'accentuait. L'inquiétude gagnait maintenant tout le groupe. Le froid devenait mordant et il a fallu sortir des vêtements plus chauds. Même les oies passaient haut dans le ciel sans s'arrêter. Elles aussi pressaient la cadence.

La pêche était mauvaise. L'année précédente, Thomas et moi n'arrivions pas à manger tout ce que nous attrapions en route. Nous avions même fumé une partie de nos prises pour ne pas les perdre, alors que cet automne-là, faute de poissons frais, il fallait puiser dans nos réserves d'hiver de galette et de lard.

La situation prenait une tournure qui me laissait perplexe. Ce pays que je découvrais quelques mois plus tôt, les yeux et le cœur grands ouverts, me montrait son visage ombrageux. La beauté des lieux demeurait, elle, toujours saisissante. Je m'émerveillais devant les vertigineuses falaises de granit qui frôlaient les nuages, et cette forêt dense qui enserrait la rivière et son eau limpide.

Une violente tempête nous a forcés à rester une semaine dans nos tentes secouées par les bourrasques glacées. Des vagues dont la taille ressemblait à la houle de Pekuakami roulaient sur la surface déchaînée de la rivière. Nous ne pouvions ni bouger ni même chasser. Il fallait attendre encore, alors que le temps manquait déjà.

Le vent s'est calmé une nuit. Au matin, une fine neige déposait un linceul blanc sur le Péribonka.

L'hiver s'installait. Nous avons mis le cap vers les Passes-Dangereuses. Les coques glissaient sous un ciel laiteux. Concentré, Thomas scrutait la surface de la rivière. Faisant fi du danger, nous avons forcé l'allure, ramé plus fort, marché plus vite. Les flocons venaient mourir sur nos fronts et, malgré le froid, la sueur coulait sur nos nuques.

Nous avons ramé jusque dans l'obscurité, sous une lune chétive dont la pâle lumière se perdait dans l'eau d'encre. Je ne sentais ni la fatigue, ni les blessures, ni mes muscles endoloris. Personne n'ouvrait la bouche, toutes les énergies étaient consacrées à l'effort qu'il fallait faire pour remonter cette rivière. Enfin, Malek a dirigé son canot vers une petite plage protégée du vent. Nous y passerions la nuit.

Nous avons monté les embarcations sur le sable sans prendre la peine de décharger le matériel. Pendant que Christine faisait du feu, j'ai préparé le thé et un peu de galette et de lard pour tout le monde. Les hommes ont monté les tentes à la hâte et nous nous sommes installés autour des flammes, des peaux sur nos épaules pour nous réchauffer. Au loin, on entendait la rivière gronder. Demain serait une rude journée. Nous nous sommes couchés sitôt le repas avalé. Thomas m'a serrée contre lui. La chaleur de son corps pénétrait le mien. Soudain, la forêt me semblait hostile.

Au matin, les nuages avaient disparu et la neige avait cessé de tomber. Le froid mordait les visages et les canots peinaient à avancer dans les remous.

Nous avons déchargé une partie des bagages, que Christine et moi avons mis sur notre dos pendant que les hommes, arc-boutés sur des perches, poussaient les embarcations de toutes leurs forces contre le courant. Il y avait un kilomètre d'eau vive avant le début du rapide. Au pied d'une grosse chute, nous les avons tirées sur le sable.

Déjà à bout de forces, nous nous apprêtions à nous attaquer à l'un des plus difficiles portages. Il faudrait gravir une montagne en longeant une falaise escarpée suivant un étroit sentier tracé dans le roc. Savoir que tant de gens nous avaient précédés me donnait la force d'oublier la sueur qui me piquait les yeux et la fatigue de mes bras et de mes jambes. Une fois la montagne franchie, il a fallu déposer notre bagage et retourner chercher les canots et les sacs restants. Cela a pris deux jours.

Alors que nous étions sur le point de remettre les canots à l'eau, le mauvais temps nous a obligés à temporiser encore. Dans nos tentes, nous écoutions tomber une pluie froide que le vent du nord-est figeait sur la toile. La peur nous gagnait.

Nous sommes restés coincés une semaine. L'humidité nous transperçait les os et nous n'arrivions pas à nous réchauffer.

Une fine glace couvrait le bord de la rivière quand nous avons enfin pu repartir. Nous devions naviguer entre les plaques gelées qui dérivaient sur l'eau et avancer avec prudence alors qu'il aurait fallu foncer à toute vitesse. Installée à l'avant du canot, je ramais en fixant la surface. Parfois, un bloc de glace frôlait l'embarcation et nous retenions notre souffle. Je commençais à douter que nous puissions arriver à destination.

Un soir, j'ai entendu au loin un grondement pareil à aucun autre et j'ai ressenti un soulagement immense. Malek avait retrouvé le sourire. Il avait réussi encore une fois, malgré les difficultés, à guider les siens jusqu'au territoire.

TOBOGGANS

Une semaine à peine après notre arrivée, une tempête d'une rare violence a déferlé sur le Péribonka. De puissantes rafales se jetaient sur la forêt en hurlant. Les arbres, secoués comme des fétus, craquaient de toutes parts. On ne voyait ni ciel ni terre. Encore une fois confinés à nos tentes, qui tremblaient sous les bourrasques, nous en étions réduits à piger dans nos réserves d'hiver.

Malgré le mauvais temps qui s'acharnait, Thomas refusait de se laisser aller au découragement.

« On ne décide pas du temps, Almanda.

— Oui, mais ça m'inquiète quand même. On n'est pas à Saint-Prime. Si on en manque, on ne peut pas aller demander du beurre à la voisine. »

Thomas a ri. Il riait de façon spontanée et cela détendait son beau visage parfois sérieux.

« On pourrait, dit-il.

— Ne te moque pas de moi, Thomas Siméon.

— C'est vrai. »

Je lui ai jeté un regard noir.

« On n'est pas tout seuls, Almanda. La famille de Joe Fontaine est campée de l'autre côté de la montagne. Les Moar un peu au sud. Au bout de la petite rivière en bas de la côte, la piste mène au territoire de Jean Raphaël, plus loin, à celui de Paul-Émile Gill et de sa femme Madeleine. Si on a besoin d'aide, on en trouvera. »

Il avait raison, car l'isolement dans lequel nous vivions était relatif. D'autres familles vivaient alentour et, en cas de besoin, elles pourraient nous aider. À moins que leurs réserves ne soient pas en meilleur état que les nôtres, ce qui restait une possibilité à laquelle je préférais ne pas penser.

*

Quand j'ai ouvert les yeux le lendemain, un calme étrange régnait sur le campement. Le soleil brillait. La nature paraissait figée sous un épais manteau blanc.

Thomas était parti. J'ai mis de l'eau à bouillir et je suis sortie à mon tour. Les branches des pins ployaient sous le poids de la neige. La forêt semblait retenir son souffle. Les traces des raquettes de Thomas se perdaient dans le bois. Alors que tous dormaient, désireux de refaire nos provisions, il était parti poser des collets.

J'ai fait du thé. Je le buvais à petites gorgées et sa chaleur se répandait dans mon ventre. La montée m'avait laissé des séquelles, yeux irrités, articulations douloureuses, fatigue générale. Je ne possédais pas encore l'endurance des autres, et même si je faisais tout pour le cacher, chaque geste me demandait un peu plus d'effort qu'aux autres.

Thomas est revenu au moment où je me préparais à sortir. Il a secoué la neige sur ses épaules. Constatant que j'avais avec moi ma Winchester, il m'a attirée vers lui.

« Reste. Tu as le droit de te reposer, Almanda.

— Je le ferai quand j'aurai rapporté ma part de gibier. »

J'ai enfilé mes raquettes et j'ai suivi les traces de Thomas, curieuse de voir où il avait installé ses collets. Puis j'ai grimpé une haute colline en me faufilant à travers les épinettes qui poussaient en rangs serrés. Le sommet dégagé donnait un beau panorama sur les alentours. J'ai attendu, les sens aux aguets. Mais ne voyant aucun signe de vie, j'ai entrepris la descente par le versant nord. Ma carabine à l'épaule, j'avançais avec lenteur entre les arbres. Je commençais à perdre espoir quand une grosse perdrix a foncé vers moi. J'ai tiré et elle est tombée une seconde plus tard dans la neige.

J'ai ramassé l'oiseau, je l'ai remercié et l'ai déposé dans mon sac. J'ai marché encore une heure en direction du nord sans rien apercevoir avant de revenir en contournant la colline par l'ouest. J'étais affamée quand je suis enfin arrivée au campement. Thomas m'attendait.

« Tu as été partie longtemps.

— Pas tellement. »

Je lui ai montré la perdrix.

« Au moins, tu as rapporté quelque chose, a-t-il dit. Malek et Daniel n'ont rien tué. »

Le mauvais sort s'acharnait. Les jours suivants, tous les matins, j'arpentais la forêt en faisant le tour des collets. Mais je revenais le plus souvent bredouille. Malek disait que ça lui rappelait l'année de famine qu'il avait connue à Pessamit.

Thomas et son frère ont décidé de partir vers le nord. Malgré mon insistance, il a refusé que je les accompagne.

« On va de l'autre côté de la Péribonka et des montagnes vers l'est, Almanda. Tu tires bien, les autres vont avoir besoin de toi. »

Espérant revenir avec beaucoup de peaux et de viande, ils ont décidé d'emporter le strict minimum de bagages, laissant même la tente de voyage. Ils sont partis avec chacun un toboggan pour une expédition qui s'annonçait difficile. Le cœur serré, je les ai regardés s'éloigner en suivant la petite rivière par laquelle ils rejoindraient le lac Péribonka. Ce chemin les exposait au vent, mais il était plus rapide, car il permettait de monter directement vers le nord, vers le lac Onistagan. Ils couperaient ensuite à travers les montagnes jusqu'au lac Manouane et ses dizaines de petites baies où ils pourraient chasser à l'abri du vent.

Les journées passaient et nos pièges n'attrapaient pas grand-chose. Il nous arrivait de n'avoir aucune viande à manger pendant plusieurs jours. Le froid s'intensifiait, et la nuit, malgré les épaisses fourrures empilées sur moi, je ne parvenais pas à me réchauffer. Nous avons été sans nouvelles de Thomas et de son frère pendant un mois et demi. Chaque matin en me réveillant, j'espérais les revoir. Je préparais le thé et déjeunais seule dans la tente avant de sortir inspecter mes collets avec ma Winchester.

Christine et Malek n'avaient guère plus de chance que moi.

Le soir, souvent incapable de dormir, je restais de longues heures à lire à la lumière vacillante d'une chandelle. Lire m'aidait à supporter l'absence de Thomas, mais la tente sans lui paraissait si vide.

RETROUVAILLES

Thomas, son frère et les deux chiens sont arrivés par
la rivière, hommes et bêtes traînant chacun leur part.
Les chiens avaient senti de loin l'odeur du campement. J'ai couru vers Thomas et je l'ai embrassé en le
serrant. J'ai respiré le parfum d'épinette de sa peau,
plongé mes doigts dans ses cheveux épais. La fatigue
ravageait son beau visage.

Malek a inspecté leurs lourds bagages, lissant les
peaux pour en évaluer la valeur. La chasse avait été
bonne. Thomas et Daniel rapportaient aussi deux
caribous qu'ils avaient découpés en morceaux et
dont ils avaient retiré les os pour faciliter le transport. Cela faisait beaucoup de viande. Nous aurions
assez à manger pour les prochaines semaines. Ce fardeau avait dû être difficile à transporter à travers les
montagnes jusqu'au campement.

Les deux frères avaient vécu dans des huttes en
écorce de bouleau ou dormi carrément sous le couvert de gros sapins, parcourant des dizaines de kilomètres dans le froid et la neige sur la piste du gibier
qui avait fui le Péribonka. Et ils revenaient avec une
belle collecte de peaux et de la nourriture pour toute

la famille. Quand ils étaient petits, c'est Malek qui le faisait. Aujourd'hui, ses fils prenaient la relève et le vieux ne cachait pas sa fierté.

Christine est allée préparer les lièvres qui nous restaient pour le souper pendant que j'aidais Thomas et Daniel à défaire les bagages et à entreposer les peaux. Tommy Ross nous en donnerait un bon prix à notre retour à Pointe-Bleue.

Nous avons mangé tous ensemble sous la tente, où les odeurs de viande grillée se mêlaient à celle du sapinage. Thomas et son frère nous ont raconté leur long voyage. Ils avaient dû affronter des vents violents qui les avaient retardés. L'épaisseur de la neige rendait la marche difficile. Ils n'avaient vu aucun animal pendant trois semaines. Ce n'est qu'au nord du lac Manouane que la chance leur avait enfin souri.

« On a piégé des castors et du loup-cervier. De belles bêtes. Quand on en a eu assez, on a décidé de rentrer. Et en débouchant sur le lac Péribonka, on a vu des caribous. On a réussi à en tuer deux. On n'aurait pas pu en transporter plus, de toute façon. Nous les avons débités sur place. Les chiens se sont régalés. »

Les deux bêtes, qui avaient tiré plus que leur part, dormaient enroulées dehors à l'entrée de la tente. Daniel mangeait sans relever la tête. La fatigue creusait ses traits.

« La descente du lac a été difficile, a-t-il dit, parce qu'il était tombé un bon deux pieds de neige fraîche trois jours avant. Les toboggans s'enfonçaient et ça nous forçait à faire des pauses.

— Heureusement que Daniel est fort comme un ours », a ajouté Thomas en riant.

Son frère a enfin souri. Comme Thomas et son père, c'était un chasseur infatigable.

« Tu aurais dû voir tout ce qu'il tirait, a continué Thomas en regardant Malek. Et ça paraissait facile, en plus. »

Le grand frère a donné une poussée sur l'épaule du cadet, qui a souri encore un peu, presque malgré lui.

« Daniel est un bon chasseur, a dit Malek. C'est le portrait craché de mon père, qui a déjà tué un ours avec un simple couteau croche. La bête nous avait surpris alors que nous tannions des peaux. C'est rare qu'ils attaquent des humains. Il devait être affamé ou dérangé. Mon père a roulé avec lui. Ma mère, qui a toujours eu peur des ours, hurlait. Quand il s'est relevé, couvert de sang, *mashk* était mort. Daniel est comme lui, fort et tranquille. »

Malek a regardé son fils et, pour une rare fois, on a pu voir Daniel Siméon sourire assez pour dévoiler ses dents.

« Demain, on ira porter de la viande à Paul-Émile Gill, a annoncé Christine. Le vieux est tout seul avec sa femme, Madeleine. Il n'a pas vendu beaucoup de peaux le printemps dernier et il n'a pas dû emporter beaucoup de réserves pour l'hiver. Et il n'a plus l'âge de monter jusqu'au lac Manouane, lui. Je vais y aller demain matin avec Almanda, père. »

Malek a opiné de la tête.

Après le repas, j'ai suivi Christine et nous avons pré-paré le paquet. Elle a pris pour le vieux et sa femme presque le tiers de la viande de caribou. Remarquant ma surprise, ma belle-sœur m'a expliqué :

« Ils ne passeront pas l'hiver, sinon. Ils n'ont pas d'enfants et sont tout seuls là-bas. Il leur arrive de ne même pas retourner à Pointe-Bleue l'été par crainte de ne plus pouvoir remonter à l'automne. La chasse est mauvaise cette année, mais au moins, nous, on peut s'arranger, Almanda. Pas eux. »

NASKAPIE

Le lendemain matin, Christine et moi nous sommes mises en route très tôt avec un des chiens. Christine avait divisé la viande en trois parts, qu'elle avait déposées sur des toboggans que la bête et chacune de nous tirions. Cela représentait plus de la moitié d'un caribou.

Les Gill habitaient de l'autre côté d'une petite montagne, et il nous a fallu trois bonnes heures de marche pour y parvenir. Nous y avons découvert le vieux en train de fabriquer des raquettes près du feu tandis que sa femme coupait du bois de chauffage. Leur campement, bien organisé, comprenait une grande tente qui servait de logement, une autre, plus modeste, où ils entreposaient l'équipement, un fumoir un peu en retrait dans une clairière et une cache pour la nourriture.

Christine les a salués de la main et le vieux a répondu d'un signe de la tête pendant que sa femme allait mettre de l'eau à bouillir. Le soleil réchauffait nos visages. Christine et moi avons aidé l'homme à entreposer la viande dans sa réserve. Puis nous nous sommes installées dehors pour le thé.

Paul-Émile Gill était un tout petit homme aux yeux enfoncés au milieu d'un visage émacié. Une casquette de laine vissée sur le crâne, il semblait perdu dans des vêtements épais mais dégageait malgré tout l'assurance de ceux qui sont dans leur élément. Ronde, le visage couvert de mille rides et ridules, sa femme avait un regard vif. Elle avait été belle dans sa jeunesse, cela se voyait. Elle tenait la conversation pendant que son mari se contentait le plus souvent de hocher la tête dans un sens ou dans l'autre pour exprimer son accord ou son désaccord.

La chasse avait été mauvaise pour eux aussi. Ils ne prévoyaient pas descendre à Pointe-Bleue au printemps, disait-elle de sa voix à la fois douce et aiguë. Elle nous a offert de la bannique avec de la confiture de bleuets. Nous sommes restées une heure au campement des Gill à discuter avec eux. La femme parlait l'innu avec un accent que je n'arrivais pas à identifier.

Quand nous nous sommes levées pour partir, ils nous ont remerciées avec chaleur. Le soleil était encore haut dans le ciel. Une douce brise courait entre les arbres. L'hiver, s'il paraît souvent rude dans le bois, offre parfois en cadeau de ces journées dorées où la lumière danse sur la neige et réchauffe les corps et les âmes.

« Tu as remarqué son accent, hein ? »

Je ne pouvais rien cacher à Christine.

« J'avoue que ça m'a frappée.

— Elle est Naskapie, c'est pour ça. Elle vient de l'Ungava, au nord-est des monts Otish. Elle et son mari n'ont jamais eu d'enfants. Le vieux Gill a été un grand chasseur. Mon père en parle toujours avec admiration. Il se débrouille encore bien malgré son âge. »

Il existait donc au Péribonka une femme qui venait de plus loin que moi encore. Cela m'a fait sourire.

AVANT

C'est difficile d'expliquer le territoire avant. Le bois avant les coupes à blanc. La Péribonka avant les barrages.

Il faut imaginer une forêt sautant d'une montagne à l'autre jusqu'au-delà de l'horizon, visualiser cet océan végétal balayé par le vent, réchauffé par le soleil. Un monde où la vie et la mort se disputent la préséance et au milieu duquel coule entre des berges sablonneuses, ou entre des falaises austères, une rivière qui ressemble à un fleuve.

C'est ardu à expliquer parce que cela n'existe plus. Les usines à papier ont dévoré la forêt. La Péribonka a été soumise et souillée. D'abord par la drave, puis les barrages ont avalé ses chutes impétueuses et créé des réservoirs dont l'eau nourrit maintenant les centrales électriques.

Les Passes-Dangereuses, où mes enfants sont nés, où j'ai élevé ma famille et où Thomas et moi nous sommes aimés si souvent, ont disparu, englouties sous des tonnes d'eau. Sorte d'Atlantide innue, ce lieu n'existe plus que dans les souvenirs des vieux comme moi et il disparaîtra pour de bon avec nous. Bientôt.

Comme s'effaceront les chemins de portage tracés avec patience par des générations de nomades. Tout ce savoir s'évanouira des mémoires où il vit encore.

Il ne reste que Pekuakami. Nos jeunes le voient, respirent son odeur, entendent son chant. Ils y pêchent la ouananiche et le doré. Ils apprécient ses longues plages coupées de rochers. Le lac émerveille toujours par sa taille et par sa beauté et, grâce à lui, Nitassinan reste concret pour eux et pour moi aussi.

Mais notre territoire au-delà du lac existe encore dans nos cœurs. Un jour, nous le retrouverons.

SEULE AU MONDE

Le froid ne desserrait pas son emprise et, si nos réserves de nourriture suffisaient pour tenir jusqu'au printemps, il nous fallait davantage de peaux. Thomas et Daniel ont fait deux autres expéditions au lac Onistagan. Voir partir mon homme me déchirait chaque fois le cœur. J'avais beau essayer de me raisonner, rien n'y faisait.

« Laisse-toi le temps, me disait-il toujours quand je voulais aller avec lui. C'est dur. L'hiver prochain, on ira, à notre rythme. »

Il avait raison, sauf que je détestais vivre loin de lui. Tout comme je détestais l'idée de devoir rester derrière, comme acceptaient de le faire la plupart des femmes. Peut-être parce que j'avais grandi avec l'impression douloureuse d'avoir été abandonnée par mes parents naturels. Beaucoup d'orphelins éprouvent ce sentiment de vide profond en eux.

Mon oncle et ma tante, qui n'avaient pas eu d'enfants, m'ont recueillie parce qu'ils estimaient que c'était leur devoir. J'ai été adoptée par charité chrétienne, ni plus ni moins, par des gens très pieux qui ont fait en sorte que je ne manque de rien. Et s'ils ont fini par m'aimer, je n'ai jamais baigné dans cette tendresse qui apaise les craintes des petits.

Thomas a tout changé. Tout de suite, j'ai senti que pour lui je comptais. Tout de suite, je l'ai aimé tout autant. C'était un amour irrationnel, fou, je le réalise avec le recul. Je ne regrette pas d'avoir suivi mon cœur.

J'étais une jeune femme pressée, mais Thomas savait, lui, que dans la forêt il faut un certain nombre de connaissances pour se débrouiller. En restant au campement, je pouvais apprendre auprès de Malek, comme ses enfants l'avaient fait avant moi. L'ordre des choses devait être respecté.

Malek posait ses pièges et je l'accompagnais chaque jour. Il ne parlait jamais dans le bois. Ce monde n'avait aucun secret pour lui, même s'il s'en défendait.

« On ne sait jamais tout à son sujet, Manda. Chaque jour, j'apprends. »

C'est moi qui m'éduquais à le côtoyer. Sur la façon de placer un piège sous le vent en tenant compte du mouvement des branches autour, ou d'attendre le bon moment de la journée pour sortir afin de profiter de conditions météo plus favorables. Sur chacun de ces détails qui ont leur importance.

Christine avait la même patience avec moi pour les autres tâches de la vie quotidienne en forêt qui heurtaient parfois mon tempérament fougueux. Tanner était un travail long et fastidieux et je me décourageais souvent, certaine que nous n'en viendrions jamais à bout. Christine savait me rassurer.

« Va nous faire du thé, Manda, pendant que je finis ce morceau-là, disait-elle de sa voix douce comme la neige qui tombe un jour sans vent. Un bon thé, ça va nous faire du bien. »

J'allais faire bouillir l'eau, je préparais les infusions. Nous faisions une pause autour du feu. Puis, nous nous remettions au travail. Apprendre la constance est un long chemin. Il fallait qu'ils m'aiment beaucoup, moi, déjà presque une adulte, pour prendre le temps de faire mon éducation. Parce que c'est de cela qu'il s'agissait. J'avais beau savoir lire, écrire et calculer mieux qu'eux tous, je restais une ignare là-bas.

Au fil des jours, des semaines et des années, j'ai approfondi mes connaissances. Christine adorait fabriquer des objets du quotidien en écorce de bouleau. Nous en faisions souvent. On peut la recueillir au printemps ou à l'automne quand la sève monte ou descend. Plus l'arbre vieillit, plus son écorce s'épaissit.

Pour fabriquer les paniers, Christine préférait choisir de gros troncs matures à la peau épaisse. Ensuite, nous placions l'écorce sous des poids pour l'aplatir. Il fallait retirer la surface grise en la grattant avec soin au couteau. Une fois la forme voulue obtenue, nous cousions les extrémités avec des racines d'épinette, puis nous scellions le contenant avec de la gomme d'épinette, ce qui en assurait l'étanchéité. Nous ajoutions de jolis motifs décoratifs en mordillant l'écorce.

Le résultat est léger et résistant. J'en fais encore et je les vends à la boutique d'artisanat. Les touristes adorent ça. Pour eux, ce ne sont que des bibelots, des souvenirs de voyage. Mais pour moi, c'est une façon de garder le passé vivant. Quand je travaille l'écorce, je suis avec Christine autour du feu qui nous tient au chaud et nous travaillons en silence. Lorsque je tanne une peau, je fais comme elle m'a appris. Je répète les mêmes gestes, et tant que je le ferai, elle, Malek et tous les autres resteront avec moi.

by memories

SUCRES

«On va faire de la nourriture des neiges, il va nous falloir de gros paniers.»

Thomas, son frère et son père avaient déposé de grands morceaux d'écorce sur la neige devant Christine et moi. J'ignorais de quoi les hommes parlaient. Christine m'a prise par le bras.

«Viens m'aider.»

Nous nous sommes mises à l'ouvrage et, pendant que nous confectionnions les contenants, ma belle-sœur m'a expliqué ce qu'était la nourriture des neiges, un joli terme que je n'avais jamais entendu.

Il nous a fallu quelques jours pour en venir à bout. Le soleil se couchait plus tard et cela nous a facilité la tâche. Pour chacun des paniers, Malek a taillé des planchettes dans des bouts de bois. Puis, avec une hache, il a percé des fentes dans le tronc des érables autour du campement. Quand il jugeait que l'entaille avait la profondeur suffisante, il y insérait une des planchettes et plaçait un panier dessous. En peu de temps, la sève translucide a commencé à s'écouler, tombant goutte à goutte dans nos récipients d'écorce. Deux fois par jour, il fallait vider le précieux liquide dans de grands chaudrons, à travers un tissu de coton pour en retirer les saletés.

Thomas et Daniel ont construit un cadre avec des troncs d'épinette, auquel ils ont accroché les chaudrons remplis d'eau d'érable, et on a allumé en dessous un gros feu.

La sève a commencé à frémir, puis à bouillir. Quand le liquide menaçait de déborder, Christine y plongeait une branche de sapin. Si le niveau de l'eau baissait trop, on la transférait dans un autre chaudron, jusqu'à ce qu'il n'en reste plus qu'un seul sur le feu, contenant toute l'eau d'érable concentrée par l'ébullition.

Cela durait une journée entière. En réduisant, le liquide prenait une belle couleur ambrée et répandait des parfums de sucre dans le campement. De temps en temps, Christine enroulait une petite quantité de sirop autour d'un bâton et le déroulait sur la neige pour en vérifier la consistance. Vers la fin, elle a ajouté un brin de moelle d'orignal. « Ça donne du goût », disait-elle. Puis, satisfaite du résultat, elle a retiré la marmite des flammes. La tire était prête.

Tout le monde s'est réuni. Christine a déposé sur la neige des bandes de sirop, qui sous l'effet du froid se figeaient. Je n'avais jamais rien goûté de tel et les autres ont dû le remarquer, car ils souriaient en me regardant.

Chaque culture possède ses rites. Mais peu importe la couleur de leur peau ou leur origine, manger offre aux humains une occasion de rassemblement et de partage.

Christine alignait les filets de liquide magique tiré d'un arbre qui, sous la main des Innus, se transformait en miel au goût d'érable. Quand on a eu presque tout fini, Christine a brassé avec vigueur ce qui restait de sirop jusqu'à ce qu'il commence à se cristalliser et forme une substance granuleuse d'un brun doux qu'elle a versé dans de petits paniers. Nous aurions du sucre jusqu'à l'hiver suivant.

Lorsque j'ai eu ma famille, j'ai fait de la nourriture d'hiver chaque fois que les conditions le permettaient. Il fallait des jours longs et chauds et des nuits froides pour que l'eau coule assez. Les enfants participaient et cela devenait une activité familiale que tous aimaient, d'autant plus qu'elle annonçait le printemps et le retour vers le lac. Les jeunes coupaient le bois pour alimenter les flammes, aidaient à la collecte de l'eau et s'amusaient à chasser les écureuils trop curieux qui risquaient de renverser les paniers au pied des arbres.

J'ai le souvenir de sourires, de regards brillants autour du feu et d'éclats de rire. La vie en forêt imposait ses exigences, mais chaque plaisir y semblait décuplé.

Plus personne chez nous ne fait de nourriture des neiges. On achète le sirop et le sucre d'érable au marché. C'est bon, mais pas autant que celui que nous faisions ensemble.

RÉVEILLON

Mes cinq premières années dans le Péribonka m'ont servi à apprendre à vivre au rythme des saisons de chasse. Certaines étaient bonnes, d'autres plus difficiles.

J'accompagnais Thomas, parfois Daniel aussi, à la grande chasse. Nous redescendions la Péribonka vers la Fourche Manouane ou encore nous remontions vers le lac Onistagan. Une fois, sur la piste de caribous, nous avons marché jusqu'aux monts Otish. J'ai vu la montagne que m'avait décrite Malek. Chauve et austère, elle domine le Nord et l'on sent la présence du Créateur en ces lieux sacrés.

J'aimais cette existence de nomade, exigeante, où il faut défaire et refaire le campement très souvent et où on ne s'installe jamais dans le confort. Une tempête pouvait vous confiner longtemps à votre tente. Pourtant, ce mode de vie me procurait ce sentiment de liberté dont j'avais rêvé depuis mon enfance.

Nous voyagions beaucoup, mais peu importe où nous étions, nous revenions aux Passes pour Noël. Plusieurs familles, parentes ou amies des Siméon, s'y réunissaient pour la période des fêtes. De toute façon, à la fin de décembre et en janvier, il faisait si froid que les bêtes ne sortaient pas de leurs abris. Tous se rejoignaient sur le bord de la Péribonka, apportant de la nourriture en bonne quantité, de la viande séchée, de la graisse d'ours, des canneberges – Malek et les anciens adoraient tous ça –, de la farine pour le pain et du tabac, bien sûr.

Malek tenait à ce que nous soyons toujours les premiers arrivés. C'était pour lui une question de fierté, je crois. Nous installions la tente et coupions du bois en attendant. Quand d'autres familles se présentaient, nous les aidions à monter leur campement. Pendant que les enfants jouaient, les adultes préparaient les repas en groupe.

L'année suivant ses noces, Marie est arrivée sans prévenir avec son nouveau mari. Sa visite surprise nous a fait chaud au cœur, et Christine lui a sauté au cou. Cela leur avait pris pas mal de temps pour venir du lac Manouane. Je soupçonnais Marie de souffrir un peu du mal du pays et, même si elle s'entendait bien avec sa belle-famille, de s'ennuyer des Passes.

Le soir du réveillon, tous se sont entassés dans une grande tente. À minuit, un homme a tiré un coup de feu dans le ciel. Puis nous avons prié et chanté. J'ai été élevée dans le respect de la religion et j'ai trouvé chez les Innus des gens très pieux. Nous avons récité le chapelet. Il y avait quelque chose de beau et d'émouvant dans le fait de se retrouver autour du même feu, en communion avec Dieu et la nature.

Le vieux Joe Fontaine a raconté la nativité et tout le monde l'a écouté avec attention. Il était originaire de la Côte-Nord et j'avais de la difficulté à saisir son accent. Les Innus de cette région s'expriment dans une langue plus pure que celle des Ilnuatsh qui vivent à la limite du territoire des Naskapis et des Cris, dont ils ont subi une certaine influence qui s'entend. Ils entretenaient des contacts aussi avec les Wendats au sud et les Mohawks, qui dans les temps anciens venaient paraît-il jusqu'à Tadoussac. Malek m'a fait le récit de ces histoires qui remontent avant mon époque.

Entre Noël et le jour de l'An, les gens chassaient peu, mais je sortais quand même presque tous les jours avec ma carabine, car j'ai toujours adoré cela. Les autres jouaient aux cartes, aux dames ou fumaient en buvant du thé autour d'un feu pendant que les enfants s'amusaient avec des bilboquets fabriqués avec des branches de sapin ou couraient partout dans le campement.

Les hommes organisaient des concours d'habileté et de force, et tous assistaient aux épreuves en encourageant les participants. L'époux de Marie a remporté le tournoi de force, qui consistait à casser un os de patte de castor. Celui-ci est court et offre peu de prise, il faut vraiment être fort pour en venir à bout. Ma belle-sœur a bombé le torse quand un bruit sec a retenti et que tout le monde a applaudi l'exploit.

Certains affrontements se disputaient à l'extérieur. Thomas a participé à la course en raquettes et moi, à celle qui consiste à courir dans la neige en mocassins, sans raquettes. C'était amusant, la foule riait abondamment devant les efforts désespérés des pauvres protagonistes enlisés dans la neige jusqu'à la taille et se tordant comme des chenilles pour avancer.

Nous n'avons pas gagné, ni l'un ni l'autre, mais nous avons beaucoup ri, surtout de ma prestation. Je ne sais trop comment j'ai fait mon compte, mais alors que je croyais mettre le pied sur une plaque durcie, elle s'est enfoncée sous mon poids et j'ai culbuté, me retrouvant la tête enfouie sous la neige, ce qui a déclenché l'hilarité générale parmi les spectateurs. Incapable de me relever, j'ai dû attendre que quelqu'un vienne me sortir de là.

Il n'y avait pas de médailles et ce n'étaient pas de vraies compétitions, mais nous nous amusions beaucoup. Et cette légèreté au milieu de l'hiver faisait du bien.

À la fin de la journée, tout le monde s'est réuni autour des aînés pour entendre les légendes innues. Assis en rangs serrés, enfants et adultes écoutaient avec attention. C'est là que pour la première fois j'ai entendu la légende de Mishtamishk, le grand castor, de Mishtapeu, le géant, et du terrible Atshen. Celui qu'il fallait éviter. Plusieurs anciens affirmaient avoir vu des traces de cet être malfaisant et cruel. Atshen était le seul personnage que les Innus craignaient dans le bois, car sa nature violente leur était incompréhensible. De nos jours encore, plusieurs n'osent évoquer son nom et croient qu'en forêt les paysages gardent les signes de son passage.

Les conteurs narraient aussi les aventures de Tshikapesh, qui possède le pouvoir de changer de taille à volonté. Les légendes à son sujet sont nombreuses.

J'aimais écouter ces épopées, car elles m'aidaient à comprendre la nature et le monde. Leurs personnages pouvaient être drôles ou effrayants, et les récits se modifiaient souvent selon le conteur.

Aujourd'hui, c'est moi l'ancienne de la communauté et je connais toutes ces histoires fantastiques. Mais sur la réserve désormais, les aventures de nos héros ne disent pas grand-chose aux jeunes et le monde qu'elles décrivent n'est plus le leur.

Le jour de l'An, comme au réveillon, on tirait un coup de feu dans le ciel à minuit pour saluer la nouvelle année et remercier celle qui s'achevait. C'était le moment que je préférais. Chacun s'efforçait de cuisiner du mieux qu'il le pouvait pour partager ensuite la nourriture et faire plaisir aux autres. Nous le faisions tous ensemble, chaque famille apportant sa contribution. Cette année-là, Christine et moi avions préparé des canneberges dans la graisse d'ours dont Malek raffolait.

Les enfants recevaient des cadeaux que leurs parents avaient fabriqués pour eux – des poupées, des raquettes, de petits traîneaux. Tout le monde mangeait en même temps. Certains se lançaient des défis, comme boire le plus grand nombre de tasses de graisse d'ours, un exercice auquel je ne me suis jamais risquée.

Après le repas, les aînés prenaient le tambour. Considéré comme sacré, car ses vibrations permettent de communiquer avec l'esprit de l'animal, il était réservé aux plus sages et aux chamans, qui l'utilisaient pour chasser les mauvais esprits. Au jour de l'An, il rythmait nos cœurs et nos chants montant dans le ciel jusqu'au Créateur. Ainsi le croyions-nous.

Le lendemain, le temps des fêtes était fini, et tout le monde avait le cœur gros. Il fallait se séparer et retourner au campement d'hiver. Chaque famille retrouverait sa splendide solitude hivernale.

PERLES

Ces années de jeunesse ont scellé les sentiments que Thomas et moi éprouvions l'un pour l'autre. Avec le temps, la passion s'est muée en un amour durable. Je lui ai été reconnaissante de m'avoir acceptée telle que j'étais. Il lui a fallu une certaine ouverture d'esprit que tous ne possédaient pas.

Avec le temps, la forêt a transformé mon corps. Le soleil a buriné ma peau claire. Au fil des portages, mes muscles se sont raffermis, je suis devenue plus résistante au froid, j'ai appris à ignorer les piqûres d'insectes et à vivre avec la faim s'il le fallait. Quand je craquais une allumette sur ma jupe et que le tabac de ma pipe s'enflammait, personne ne doutait que j'étais Innue.

À la fin de notre cinquième hiver, alors que nous entreprenions la descente vers Pekuakami, mon ventre s'est durci et a commencé à gonfler. Je n'en ai pas parlé à Thomas, mais quand il a vu la courbure se dessiner sur mon abdomen, il a levé de grands yeux vers moi. Cette grossesse, il la souhaitait depuis longtemps.

Notre récolte avait été bonne et pendant la descente nous avons ajouté trois belles peaux d'ours. Nos bagages étaient lourds, mais cet être qui se faisait une place en moi décuplait mes forces. Je pouvais marcher plus longtemps, soulever des sacs plus pesants.

À Pointe-Bleue, nous avons retrouvé Marie. La chasse avait été mauvaise au lac Manouane. Heureusement, nous avions assez de peaux pour tout le monde.

Marie, qui avait déjà deux enfants, était enceinte encore elle aussi. L'année suivante à pareille date, nous ramènerions des bébés des Passes-Dangereuses et du lac Manouane. L'avenir de la famille paraissait assuré.

J'ai fait beaucoup de perlage avec mes belles-sœurs cet été-là. Nous avons confectionné des bonnets. Presque toutes les femmes en portaient dans ce temps-là et je n'ai jamais vu mes belles-sœurs sans le leur. En général rouge et marine ou noir, il était décoré de jolies broderies de verre. Il faut une grosse semaine pour fabriquer un bonnet. Mais le résultat est magnifique.

Malek m'avait expliqué que, avant, les femmes élaboraient les perles à partir d'os, de coquillages et de pierres, comme les agates. Les perles de verre nous facilitaient la tâche, mais cela demeurait un travail qui exigeait beaucoup de minutie et de patience.

Christine et Marie m'ont appris à tracer d'élégantes courbes qui donnent du mouvement au tissu. J'aimais jouer avec les couleurs aussi.

Encore aujourd'hui, le soir, malgré mes doigts noueux, j'aime m'asseoir devant un poêle à bois chaud et perler des vêtements, des bijoux, de petits objets qu'autrefois nous utilisions et que nous vendons maintenant à la boutique d'artisanat. Tous les

Premiers Peuples perlent. Les techniques varient selon les nations, les motifs et le choix des teintes aussi. Mais le principe reste le même, partagé par les femmes de tout un continent.

J'ai enseigné à mes filles à le faire. Nous nous installions ensemble et les plus jeunes s'occupaient de trier les perles et de ramasser celles qui tombaient et s'éparpillaient sur le sol. Elles préparaient le thé et le goûter. Chacune contribuait et apprenait en observant les plus expérimentées, comme je l'avais fait avec Marie et Christine.

Les deux sœurs, qui n'avaient qu'un an de différence et qu'on aurait prises pour des jumelles tant elles se ressemblaient, travaillaient toujours ensemble. Elles se mettaient à l'ouvrage le matin, disposaient devant elles sur une grande assiette des centaines de perles multicolores et ne s'arrêtaient qu'au soir. À leurs côtés, j'ai appris comment aligner les perles, jouer avec le bleu, le rouge, le jaune, le vert, le noir. J'ai fait beaucoup d'erreurs et j'ai recommencé souvent, mais avec le temps je suis arrivée à suivre mes belles-sœurs, assise avec elles autour de leur grande assiette au contenu arc-en-ciel, à travailler en silence.

L'été de ma première grossesse, nous avons fabriqué des vêtements pour les bébés à naître et Christine nous a aidées à les décorer. Il fallait se dépêcher, car les journées raccourcissaient, alors nous mettions les bouchées doubles.

Quand le moment de partir est venu, tout était prêt. Marie et son mari ont pris la route du lac Manouane et, quelques jours plus tard, nous avons pris celle des

Passes-Dangereuses. Le voyage s'est bien déroulé. Un mois après, nous étions au campement. Heureusement, ma grossesse était déjà pas mal avancée.

Je n'ai pas accompagné Thomas et son frère en expédition, restant avec Malek et Christine. J'ignorais comment cela se passerait. Je me laissais porter par les événements.

Lorsque le travail a commencé et que mes contractions se sont rapprochées, une sage-femme est venue à notre campement. Christine l'a assistée. Thomas était présent, et c'est lui qui a accueilli notre bébé à la sortie de mon ventre, l'a lavé et posé sur ma poitrine. Le nouveau-né s'est blotti d'instinct. J'écoutais sa respiration, j'essayais de percevoir les battements de son petit cœur contre le mien. L'odeur du sang se mêlait à celle du sapin, et mes cheveux trempés collaient à mes joues. Je ne m'étais jamais de ma vie sentie si lasse.

Pourtant, j'aurais été prête à affronter Atshen en personne pour que cette petite ne manque de rien. Je lui ai juré qu'elle ne serait jamais seule comme je l'avais été. Christine a souri et a serré ma main dans la sienne. Elle comprenait ce que l'orpheline que j'étais ressentait à la naissance de son premier enfant.

Il faisait noir dehors quand Christine est retournée à sa tente. Thomas a bourré le poêle de bois et étendu une peau d'ours sur notre fille et moi. Puis, il est resté assis près de nous, pour nous veiller. C'était la première fois que je le voyais pleurer.

ANNE-MARIE

Anne-Marie avait hérité du regard bridé de son père, de sa peau brune veloutée comme la mousse sur les roches et de son odeur de vanille. Elle observait le monde avec curiosité. Je l'ai aimée plus que tout dès que Thomas l'a déposée dans mes bras et que j'ai entendu sa respiration dans la tiédeur de la tente.

Tout le clan avait préparé son arrivée. Malek avait fait un petit hamac suspendu à des piquets. Je l'y installais au-dessus d'un tapis de sapinage épais, pour amortir sa chute s'il se renversait. Christine avait cousu des habits d'hiver qu'elle avait doublés de lièvre en s'assurant de disposer la fourrure à l'intérieur pour qu'elle colle à la peau de l'enfant. Thomas avait fabriqué un harnais pour que je puisse la traîner avec moi.

La venue d'un bébé changeait l'organisation de tout notre groupe. Je ne pouvais plus accompagner Thomas, et son absence me pesait. Jusqu'à présent, la vie dans le bois n'avait eu de sens qu'avec lui. Maintenant, il y avait aussi ma fille. Je l'emmenais partout, même à la chasse. Ces sorties me faisaient du bien. Accrochée à mon dos, la petite dormait la plupart du temps, bercée par le rythme de mes raquettes s'enfonçant dans la neige. Elle ne pleurait pas souvent, découvrait son environnement avec un appétit qui me faisait plaisir. Le bruit des armes ne l'effrayait pas et nous vivions soudées l'une à l'autre. On n'apprend pas à devenir mère. On se débrouille.

Nous n'étions pas seules. Christine et Malek m'ont toujours aidée. Mais chaque soir, je me retrouvais dans la tente avec ma fille.

Quand Thomas revenait, il passait beaucoup de temps avec elle. Son visage, si grave d'ordinaire, s'éclairait alors. Il pouvait rester des heures avec Anne-Marie et on voyait à quel point l'absence lui pesait aussi. On apprend à vivre avec la distance, mais le pincement au cœur demeure vif.

Au printemps, Anne-Marie a vécu sa première descente vers Pekuakami. Nous l'avions installée au milieu du canot et il fallait voir la prudence avec laquelle Thomas maniait notre embarcation. Parfois, je me moquais de son côté papa poule.

« On peut aller plus vite, c'est pas parce que c'est une fille qu'il faut descendre à la vitesse d'une tortue. »

Il se contentait de froncer les sourcils et ça me faisait rire. À la Fourche Manouane, nous avons retrouvé Marie, qui avait accouché elle aussi d'une fille. Ma belle-sœur et moi nous asseyions avec les autres le soir autour du feu en donnant le sein. Ayant à mon tour mis au monde un enfant de la forêt, je me sentais encore mieux, plus Innue, si c'était possible. La naissance de ma première fille a chassé les derniers doutes de mon esprit, et jamais personne ensuite n'a fait allusion à mes origines. Pour tout le monde et pour moi-même, la question était réglée.

Je suis tombée à nouveau enceinte à l'été et ma grossesse a été plus difficile. J'avais la nausée et des étourdissements. Les autres s'occupaient de moi et d'Anne-Marie quand j'en étais incapable.

En mars, la sage-femme était de retour aux Passes-Dangereuses. Le bébé refusait de sortir de mon ventre. Je hurlais de douleur, Christine épongeait mon visage trempé de sueur. Il m'a fallu quarante heures de travail pour accoucher. Quand Thomas a posé Ernest sur ma poitrine, je n'ai même pas eu l'énergie de sourire. Le petit a saisi mon sein avec avidité et je me suis évanouie.

Après quelques jours pour refaire mes forces, j'ai pu me lever. Je restais dans la tente, au chaud. Peu à peu, j'ai repris mes esprits. Ernest était un beau gros bébé joufflu avec des yeux noirs comme le fond du lac. Il me regardait avec une intensité qui me troublait. Comme s'il voulait être sûr de se souvenir de moi. J'avais beau le câliner, le serrer contre moi, il continuait de me fixer. Peut-être pressentait-il que notre temps ensemble était compté.

Deux semaines après sa naissance, je l'ai découvert un matin tout raide dans son hamac. J'ai senti mon ventre se déchirer et soudain j'ai été transpercée de froid, comme si le vent venait d'emporter la tente et que j'étais soumise au souffle du nordet. Un cri est sorti de ma gorge, la plainte d'une louve blessée. J'ai hurlé au vent jusqu'à perdre l'esprit. Tout le monde a accouru. Christine m'a serrée dans ses bras en tentant de me calmer alors que Thomas regardait son fils inerte. Puis un immense silence est tombé, si lourd que nos épaules ont ployé et que nos dos se sont voûtés.

C'était mon premier contact avec la mort, la première fois qu'elle me montrait son visage hideux.

Nous avons enterré Ernest au pied d'un érable. Thomas l'a déposé au fond du trou, a placé des pierres sur son corps, et Daniel a refermé la fosse. Pendant des années, je suis allée prier au pied de l'arbre où reposait mon bébé. J'avais choisi cet érable parce qu'il était grand, beau et fort, et je m'imaginais qu'il protégerait mon fils. Mais les bûcherons l'ont coupé lui aussi pour nourrir leurs bêtes dévoreuses de forêt. Puis ils ont construit le barrage. Aujourd'hui, Ernest dort sous ce désert englouti par l'eau glacée. Mon petit. Mon tout petit.

Ma troisième grossesse a aussi été difficile et j'ai passé tous ces mois à scruter mon ventre. Christine avait beau me rassurer, j'avais peur de porter en moi ce qui avait provoqué la mort d'Ernest. Seuls les sourires d'Anne-Marie pendant ces mois noirs m'ont permis de garder espoir.

La sage-femme n'a pu venir en raison du mauvais temps et Jeannette est née en pleine tempête. C'est Christine qui m'a aidée à accoucher. Les hurlements du vent couvraient les miens et tout autour de nous la forêt craquait. Puis a émergé de mon ventre un bébé aux grands yeux noirs effrayés. Thomas l'a posé sur moi et j'ai hésité un instant. Il a dirigé l'enfant vers mon sein. La petite s'est mise à téter. Je n'entendais plus la tempête se déchaîner, la tente s'était remplie du bruit de succion d'un nouveau-né. Soudain, tout paraissait normal à nouveau.

Pendant des semaines, j'ai couvé cette enfant, scrutant chacune de ses réactions. Je m'inquiétais dès qu'elle grimaçait, et sitôt qu'elle commençait à pleurer je me précipitais. Mais les jours passaient et Jeannette prenait des forces. Elle babillait pendant des heures dans son hamac, serrait mon sein quand je la nourrissais comme si elle avait voulu en extraire le lait plus vite. Jeannette avait faim de vivre. Après quelques semaines, j'ai compris que tout irait bien.

J'ai vécu la maternité comme une grande responsabilité qui m'était confiée. La vie en territoire pouvait paraître fragile et elle l'était souvent. La survie des humains dépendait de leur capacité à s'adapter au monde, à vivre en harmonie avec la nature, comme le font les autres espèces. Nous y avions notre place. C'est ainsi que j'en suis venue à comprendre notre existence en forêt.

Le Créateur m'a donné une grande famille. Ces enfants étaient le fruit de l'amour entre Thomas et moi, l'enfant de nulle part, et j'ai tout fait pour préserver cette magie. Anne-Marie, Jeannette, Antonio, Clément, Virginie, Laurette, Gérard et Gertrude ont grandi au Péribonka. Chaque nouvel enfant s'intégrait au groupe. Les plus vieux s'occupaient des plus petits, comme dans toute chose, le travail et les responsabilités étaient partagés. Cela m'a aidée, car je n'aurais pu élever une aussi grande famille toute seule.

Dans la tente, je consacrais chaque jour quelques heures à leur apprendre à lire et à compter. Ensuite, pendant l'été, les enfants pouvaient suivre des cours à Pointe-Bleue. J'arrivais à leur enseigner suffisamment de grammaire pour qu'ils puissent écrire, et de calcul pour qu'ils sachent se débrouiller pour résoudre des problèmes simples. Mais je savais que cela ne constituait pas une éducation valable. Pour cela, mes enfants devraient aller à l'école. Et cette idée me déchirait le cœur.

LA CABANE

Anne-Marie avait douze ans et Jeannette neuf quand je me suis décidée à parler à Thomas de mon projet. Quand j'ai eu fini, il a bu une gorgée de thé sans lever les yeux.

« Je suis sérieuse. »

J'ai craqué une allumette sur ma jupe, tiré de ma pipe une bouffée d'air au goût de tabac.

« Je veux que Jeannette aille à l'école. »

Thomas savait ce que ça impliquait. J'ai continué.

« On ne peut pas se passer d'Anne-Marie en haut, je comprends ça, alors on va envoyer Jeannette. Anne-Marie ira l'année suivante. Comme ça, on ne manquera pas de bras. Ensuite, ce sera au tour des autres. »

Thomas m'a regardée et nous sommes restés un moment ainsi. Puis, j'ai repris.

« Il va falloir construire une maison à Pointe-Bleue pour l'hiver. »

Il n'était plus le tout jeune homme que j'avais connu. Ses traits s'étaient affirmés, mais ses yeux avaient gardé leur brillance.

« D'accord, Almanda, on va le faire. »

Envoyer Jeannette à l'école signifiait que je devrais rester avec les enfants à Pointe-Bleue pendant l'hiver. Cela voulait dire une longue séparation. Nous le savions tous les deux.

Ce soir-là, pendant que les petits dormaient, nous avons fait l'amour en silence. Comment arriverais-je à passer des mois loin de lui?

*

Au printemps, nous avons eu une bonne somme pour nos peaux, même si le gérant avait tenté d'évoquer une baisse de la demande de castor. Je suis allée à la scierie de Roberval, dont je connaissais un peu le patron, William Girard, car il venait parfois à Pointe-Bleue acheter de l'artisanat qu'il revendait ensuite dans le Sud.

Tout le monde l'appelait Gros Bill, car c'était un type immense avec un ventre si proéminent qu'il faisait de l'ombre devant lui. Les enfants l'appelaient *mashk* (ours). D'une nature joviale, il s'en souciait peu.

Je l'ai trouvé dans son bureau, qui tenait dans un mouchoir au fond d'une cour à bois où toutes sortes de planches, de madriers et de poutres étaient entreposés avec un ordre qui m'a impressionnée. L'odeur de pin frais a empli mes narines, on se serait imaginés au milieu d'une forêt. Gros Bill était en train d'écrire, il a mis un temps avant de me remarquer.

«Madame Siméon? Que me vaut l'honneur de votre visite?»

Il s'est redressé sur sa chaise et j'ai cru que les boutons de sa chemise allaient exploser. Gros Bill a souri. Il avait des yeux brillants.

« Je veux me bâtir une cabane pour passer l'hiver. »

Il a froncé les sourcils.

« Une maison ou une cabane ?

— Une petite maison, Bill. Ma deuxième va entrer à l'école cet hiver. On va rester à Pointe-Bleue.

— C'est une bonne idée, madame Siméon. Il faut les instruire, ces petits. »

Il a tapé ses énormes mains l'une dans l'autre et le bruit m'a fait sursauter. Gros Bill a ri.

« Comment voulez-vous procéder ? »

Je ne connaissais rien aux planches et aux panneaux de bois et encore moins à la construction d'une maison. Comme souvent dans ma vie, je me suis fiée à moi-même et à mon jugement.

« J'ai trois cents dollars, Gros Bill. Vous allez me faire crédit de trois cents autres dollars de matériel. Avec six cents dollars, je devrais être capable de me faire bâtir. Je ne veux pas de votre première qualité. Je veux juste une petite maison solide.

— Je vois, a-t-il dit de sa voix grave. Vous allez avoir besoin de madriers, madame Siméon. Et de deux par quatre pour monter la structure. Vous pourrez isoler avec du bran de scie. Ça tient au chaud et ça ne coûte pas cher. Avec ça, vous serez bonne pour passer l'hiver. »

Contrairement au gérant du magasin de la Baie d'Hudson, Gros Bill avait un regard honnête qui m'inspirait confiance. L'affaire était entendue.

142

Il me fallait l'autorisation du conseil de bande, qui devait m'octroyer un lot sur la réserve. J'ai expliqué au chef que je n'avais pas les moyens de payer pour un terrain ou un permis. Je n'y arriverais pas, sinon. Il m'a assuré qu'il parlerait aux conseillers. Il les a réunis et ils ont tous donné leur accord, sauf un vieil Innu du nom de Paul Natipi, mais que tous appelaient Tambush.

« Ils ne sont pas d'ici, ils viennent de Pessamit. Ils n'ont pas d'affaire à se construire à Pointe-Bleue », a-t-il décrété.

Le chef a argumenté et les autres membres du conseil penchaient de mon côté, mais Tambush ne voulait rien savoir.

« Ils n'ont pas le droit. Qu'ils construisent leur maison à Pessamit. »

Faute d'une entente, le conseil a ajourné. J'étais atterrée. S'il refusait ma demande, comment pourrais-je envoyer mes enfants à l'école ? Il était hors de question de passer l'hiver sous la tente au bord du lac. Le vent soufflait trop fort, ce serait intenable. Devrais-je aller m'installer dans le bois ? Ça n'avait pas de bon sens. La situation me paraissait injuste.

Thomas a essayé de raisonner Tambush. Après tout, oui, Malek était né à Pessamit, mais lui-même avait vu le jour ici. Ses sœurs et son frère avaient toujours vécu dans la communauté.

Pendant trois jours, je n'ai eu aucune nouvelle. Puis le chef est passé. Ses longs cheveux blancs tombaient sur ses épaules et donnaient de la noblesse à son visage.

« Vous pouvez vous construire, Manda. Tambush a fini par comprendre le bon sens. Faut pas lui en vouloir. Certains oublient que, de Pessamit ou Pointe-Bleue, nous sommes tous Innus. Thomas, tu es né ici, tu t'es marié ici, tu vas élever tes enfants ici. Et si Dieu en décide ainsi, tu vas mourir ici. Le conseil a accepté, voici le document. »

Il a tendu à Thomas une feuille que celui-ci m'a remise. Thomas ne savait pas lire et je doute que le vieux chef en eût été capable. J'ai toujours ignoré qui avait écrit ce texte. Mais je l'ai gardé. Le papier est encore dans le coffre dans ma chambre. Tout jauni, tout racorni, mais il est là.

La semaine suivante, un gros camion a déchargé une montagne de bois sur l'emplacement qui nous avait été accordé, près de la plage et du lac. Deux hommes de Roberval que Gros Bill m'avait recommandés ont aidé Thomas à construire la cabane. Ils arrivaient le matin et travaillaient jusqu'au soir. Peu à peu, la maison prenait forme, singulière structure au milieu du village de tentes.

Le chantier attirait beaucoup de curieux. La cabane a été agrandie avec le temps, mais au départ il ne s'agissait que d'un petit bâtiment carré d'un seul niveau avec une grande pièce qui servait de vestibule, de cuisine et de salon. Et deux chambres au fond. La lumière passait entre les joints des planches et personne ne comprenait qu'on puisse vouloir y hiverner. Thomas, comme l'avait conseillé Gros Bill, a isolé les murs avec du bran de scie. Il a installé un poêle à bois.

L'ameublement tenait au strict minimum, une table, des chaises droites, un vieux banc de quêteux en chêne que m'avait donné le curé – qui, lui, était bien content de voir une famille s'installer de façon durable au village –, qui servirait de rangement pour les vêtements.

Il n'y avait ni électricité ni eau courante. Thomas a placé un gros baril de bois près de la porte d'entrée et y a attaché une tasse de fer-blanc au bout d'une corde. Ce serait notre réserve d'eau. Dans les chambres, nous avons mis deux matelas que j'ai fabriqués avec de la toile épaisse rembourrée de poils de *mush*, ce qui en faisait des couches confortables et chaudes pour l'hiver.

CHOIX

Quand la construction de la maison a été terminée, nous avons commencé les préparatifs du retour vers le territoire. Plus le moment du départ approchait, plus la boule dans mon ventre grossissait.

Un soir de cette fin d'été, alors que nous préparions des vêtements, Christine m'a proposé de rester à Pointe-Bleue avec Jeannette.

« Tu as tes autres enfants dont tu dois t'occuper, Manda.

— Ils pourraient rester ici eux aussi.

— Ben voyons. Tu ne vas pas les forcer à tous vivre sur la réserve, quand même ? L'école, c'est important, oui. Mais ce qu'ils ont à apprendre dans le bois aussi. »

Je fixais le sol, incapable de regarder ma belle-sœur.

« Et toi, Christine ? Ça ne te dérange pas ?

— Ben non, a-t-elle répondu en balayant l'air de sa main. Quelqu'un doit le faire pour la petite et c'est mieux que ce soit moi. Et puis, c'est presque ma fille aussi. »

J'étais déchirée entre mon désir irrépressible de partir et le sentiment que mon devoir m'imposait de rester puisque j'avais choisi d'envoyer ma fille à l'école. Je ne savais que faire. C'est Christine qui a tranché.

« Manda, tes autres enfants ont besoin de toi. Tu ne vas pas les laisser sans leur mère à leur âge. Jeannette est grande. Et on sera bien, nous deux ici. Ne t'en fais pas. »

Elle avait raison. En même temps, quel droit avais-je d'imposer à mes petits une éducation étrangère à la leur et, du coup, d'imposer cette séparation à ma famille ? Toute ma vie, je me suis sentie écartelée entre ce que j'estimais être mon devoir et ce que ma nature me dictait.

J'ai embrassé Christine. Elle a séché les larmes qui coulaient de mes yeux et m'a serrée contre elle.

Jeannette a très mal réagi en apprenant qu'elle resterait alors que toute la famille s'en irait aux Passes-Dangereuses. Elle a éclaté en larmes et j'ai tenté de mon mieux de lui expliquer l'importance de l'école. Sans succès.

Depuis quelques années, Wabano, une religieuse inuite, venait à Pointe-Bleue enseigner le français, le catéchisme et les mathématiques. Malgré mes efforts pour transmettre certaines de ces notions à mes enfants pendant l'hiver, cela ne suffisait pas.

« Tu parles et écris à peine le français. J'arrive à te montrer dans le bois, mais tu as besoin d'un vrai professeur. Tu as besoin d'aller à l'école.

— Maman ! Papa parle encore moins que moi. »

Ses yeux rougis me perçaient le cœur.

« L'an prochain, a dit Thomas de sa voix douce, tu reviendras avec nous dans le bois, ma chérie. Tu ne seras pas seule. Ta tante Christine va rester avec toi et vous allez passer l'hiver dans une belle maison isolée et chauffée. Tu n'auras pas à endurer le froid d'une tente. Et puis, ne t'en fais pas pour la forêt, elle ne se sauvera pas. Elle sera là l'année prochaine et les suivantes. Elle est éternelle. »

Comment pouvions-nous savoir ce qui allait suivre ? Même si les indices devenaient évidents... Les scieries qui se multipliaient, le chemin de fer arrivé à Roberval qui amenait toujours plus de colons et de bûcherons, et les énormes bateaux à vapeur d'Horace Beemer, emplis de touristes sur Pekuakami. Peut-être nous sentions-nous à l'abri. Peut-être préférions-nous ne pas voir les signes avant-coureurs de ce progrès qui nous menaçait.

ABSENCES

À la fin d'août est venu le moment de partir. Nous sommes tous allés à la messe. Jeannette a pleuré en silence et j'ai caressé ses longs cheveux noirs. Puis notre petite caravane s'est mise en route. Je me suis retournée. Les pieds nus dans le sable, ma fille et Christine nous regardaient nous éloigner. Mon cœur s'est serré.

« Quand la rivière appelle, Almanda, et que son courant est fort, il faut suivre », a dit Thomas.

Il avait raison. Faire confiance à son cœur. Ça aussi, il me l'a appris.

Cette année-là, l'hiver s'est révélé plus dur encore que l'été avait été doux. Il neigeait presque chaque soir et il fallait au matin déterrer le campement enseveli. Thomas et Daniel ont passé presque tout leur temps dans le Nord et ne sont revenus que pour Noël. Mes tâches m'occupaient l'esprit, mais mon mari me manquait, Jeannette et Christine aussi. Plus les semaines passaient, plus le nœud dans ma poitrine se resserrait. Heureusement, je pouvais compter sur la présence réconfortante de Malek.

Au printemps, nous ne nous sommes arrêtés qu'une journée à la Fourche Manouane. Les célébrations ont été de courte durée pour les Siméon. Nous avons repris la route, ramant à une cadence accélérée. Quand Pointe-Bleue est enfin apparue à l'horizon, j'ai repéré notre petite maison. Assise sur le perron, Christine nous attendait. Dès qu'elle nous a aperçus, elle a fait de grands signes de la main et Jeannette est arrivée en courant.

Jeannette Siméon à seize ans, devant Pekuakami.

Elles nous ont aidés à tirer les canots sur la plage. J'ai pris ma fille dans mes bras, respiré le parfum de ses cheveux. Elle avait grandi, mûri. Christine avait bien veillé sur elle.

Nous avons défait nos bagages. Le lendemain, Thomas et moi irions vendre nos peaux. Mais ce soir-là, toute la famille allait souper autour du même feu. Le nœud dans mon ventre se dénouait enfin.

D'autres familles ont fait comme nous ensuite, laissant les enfants dans la réserve l'hiver pour leur permettre d'aller à l'école. Peu à peu, les maisons se sont multipliées. Certaines familles restaient réticentes, car les enfants donnaient un coup de main important à la chasse et ils hésitaient à s'en priver. Mais le nombre d'élèves de la classe augmentait chaque année. Rien n'obligeait les parents à le faire, mais les Innus sentaient bien que le vent tournait et que le monde auquel feraient face leurs descendants différerait de celui qu'ils avaient connu.

Les colons arrivaient toujours plus nombreux et de nouvelles paroisses ouvraient. De nouveaux bûcherons venaient aussi chaque jour par le train. Mais la forêt était si vaste que personne ne s'en inquiétait. Nitassinan avait assez de bois pour tous, colons comme Innus. En tout cas, c'est ce que nous pensions.

PESSAMIT

Marie nous était revenue après la mort de son mari, l'année suivante. Elle avait cinq enfants. Pour ma part, j'en ai eu neuf, en comptant Ernest. Ça faisait une grande famille et, au sein du clan des Siméon, tous contribuaient à leur éducation et à leur bien-être. Il y avait beaucoup de bouches à nourrir, mais Anne-Marie, mon aînée, était déjà une trappeuse et une chasseuse habile. Elle nous avait manqué, l'année où elle était restée à Pointe-Bleue pour l'école.

Dans le Péribonka, nous croisions de temps en temps d'autres chasseurs venus tenter leur chance, comme nous le faisions nous-mêmes ailleurs. William Vallin, originaire de Pessamit et dont les parents étaient morts, venait souvent jusqu'aux Passes et à la Fourche Manouane chasser et trapper avec un associé, Dominic Saint-Onge. William était un jeune homme enjoué et travaillant. Il avait l'habitude de tirer un coup de feu en guise de salut quand il approchait du campement, une pratique courante chez les Innus. Lui et Saint-Onge se joignaient parfois à Thomas et Daniel pour la grande chasse. Ils se partageaient le travail et les pelleteries.

Un jour de mars, alors que nous étions à la Fourche Manouane, un coup de feu a résonné. Thomas est allé voir. Anne-Marie, jamais loin derrière son père, a tout de suite reconnu les visiteurs.

« *Kuei*, William. »

Celui-ci a souri et l'a saluée de la main. Thomas n'avait pas manqué de noter le lot de belles fourrures que les chasseurs traînaient dans leurs toboggans.

« La chasse a été bonne, cet hiver.

— La chance nous a souri, on dirait, a acquiescé William. C'est le gros qui a presque tout pris », a-t-il ajouté en riant.

Dominic Saint-Onge, une espèce de géant avec des pattes d'ours énormes en guise de mains et un visage rond comme un ballon, semblait toujours sourire. William et lui se sont installés quelque temps à la Fourche. Les jours allongeaient et la lumière du printemps faisait du bien à tous après un hiver dur.

Depuis un an, Anne-Marie passait beaucoup de temps avec William. Elle avait presque l'âge de se marier, et la perspective de voir sa fille aînée quitter le nid familial inquiétait son père.

« C'est ma plus vieille, disait-il. Elle nous aide comme un homme. »

Je comprenais ses préoccupations de chef de clan. Mais je reconnaissais dans le regard de ma fille la lumière qui avait autrefois éclairé le mien.

« Jeannette grandit à vue d'œil, Thomas. Elle est bonne aussi. Et les garçons sont là.

— Les garçons sont encore trop jeunes, Almanda. Ça me coûterait de la voir partir. »

Thomas n'était pas homme à faire obstacle à l'amour, mais Anne-Marie lui était presque indispensable dans le bois.

« Si quelqu'un avait tenté de s'interposer entre nous, penses-tu qu'il aurait réussi ? »

Nous étions tous les deux dans la tente, près du poêle. Je perlais la tunique que j'avais faite pour Virginie, qui était encore toute petite, Thomas terminait de sculpter un bilboquet pour Antonio. J'ai bu une gorgée de thé et je me suis serrée contre lui. Il a hoché la tête. La question était entendue.

Une semaine plus tard, William a demandé la main d'Anne-Marie. Il avait attendu qu'elle ait seize ans. Thomas, à contrecœur, a accepté. Le père Boyer, un oblat qui avait servi à Pessamit sur la Côte-Nord, a présidé la cérémonie en juillet. Ce jour me ramenait un peu plus d'une vingtaine d'années auparavant à celui qui m'avait unie à Thomas, même si je n'avais plus rien de cette jeune femme aventureuse.

Peu après, William et Anne-Marie sont partis sur un beau canot tout neuf que leur avait fabriqué Malek. Ils sont descendus à Chicoutimi. Il n'y en a plus aujourd'hui, mais à l'époque beaucoup d'Innus vivaient dans ce coin-là. Puis ils ont suivi le Saguenay et le fleuve jusqu'à Pessamit. Là-bas, les Innus utilisent de gros canots pour aller sur le fleuve, où ils chassent les canards avec des harpons. Je les ai vus une fois que j'y étais allée avec Thomas. Il faut bien connaître les mouvements du ciel pour se lancer ainsi sur la mer, car si le vent vous surprend, vous êtes perdu.

À la fin de l'été, Thomas et moi sommes partis pour le Péribonka sans notre fille aînée et avec le cœur gros. Il n'était pas facile de laisser partir ceux qu'on aime dans ce monde où le téléphone et même le courrier n'existaient pas et où il fallait apprendre à vivre avec l'absence.

Anne-Marie Siméon.

MISTOOK

Dear pere

Malek ne savait ni compter ni écrire, mais personne n'aurait osé le considérer comme inculte. Il n'a jamais parlé une autre langue que la sienne. Pourtant, il portait un nom qu'il peinait à prononcer. En convertissant les autochtones, les missionnaires leur donnaient leur propre nom ou ceux d'autres prêtres : Bacon, Fontaine, Mollen ou Jourdain. Les Cris, nos voisins, qui vivaient avec les Anglais depuis les premiers comptoirs de la Baie d'Hudson, sont devenus Blacksmith, Bossum ou Coon. Ainsi en a-t-il été dans toutes les nations.

Malek était le dernier de ceux qui avaient connu le monde avant l'arrivée des Blancs, mais il n'en parlait pas. Je n'ai jamais su s'il était nostalgique de cette époque. Sans doute la tradition de partage des Innus a-t-elle rendu l'idée d'accepter la venue d'étrangers plus facile qu'elle ne l'aurait été pour d'autres peuples. Pour les Blancs, en tout cas. Au début de la colonie, les Innus qui vivaient alors jusqu'à Québec s'étaient retirés plus au nord et à l'est pour continuer à vivre comme avant. Le territoire était assez vaste pour nourrir tout le monde. Le concept de guerre territoriale n'existait pas pour eux.

Les années avaient peu de prise sur l'aîné et la mort semblait l'avoir oublié. Mais ça n'arrive jamais. Le temps nous est toujours compté. Quand on a commencé à construire des maisons à Pointe-Bleue, certains des anciens ont choisi d'y hiverner. Malek n'a jamais envisagé cette possibilité.

« Restez avec moi, papa, disait Christine. Vous m'aiderez avec les enfants.

— L'an prochain, ma fille. L'an prochain. »

Malek refusait même de dormir dans la maison. Il n'a connu que la vie sous la tente. Nous avions l'impression que rien ne changerait tant qu'il serait là, et dans un sens c'était vrai. C'est après son départ que nos problèmes ont commencé.

Cet été-là, son dernier, Malek se sentait souvent faible. Le matin, il entrait dans la cabane, prenait la tasse pendante au bout de la corde clouée au baril d'eau, se remplissait un verre qu'il avalait à petites gorgées. Puis il s'asseyait sur le banc sans parler. Son profil dessiné dans le contre-jour paraissait chaque jour de plus en plus frêle.

À la fin d'août, il a refusé comme d'habitude de rester derrière. Pourtant, Thomas avait cette fois essayé de le convaincre. Mais son père, bagage à ses côtés, nous attendait le matin du départ. Il a communié à la messe, puis s'est glissé dans son canot avec l'aisance des vieux chasseurs.

Pekuakami était encore endormi au milieu du murmure des rames. Malek avait longtemps mené le convoi vers le Péribonka. Aujourd'hui, il laissait ses fils, Thomas et Daniel, défier le vent. Combien de kilomètres avait-il parcourus à la force de ses bras ? Cela n'avait aucune importance à ses yeux.

Pas de pluie, peu de vent. Beaucoup de soleil. La Péribonka s'ouvrait à cet homme qui toute sa vie l'avait aimée. Sans nous presser, nous avons atteint les Passes-Dangereuses en un mois. Nous nous sommes installés au milieu de gros arbres. Le clan était prêt à affronter l'hiver.

Malek ne m'accompagnait plus qu'à l'occasion à la petite chasse et me laissait poser les collets. Il ne quittait guère plus le campement. Assis de longues heures devant sa tente, il avait le regard flou, perdu quelque part où le gibier abondait, sans doute. Anne-Marie lui préparait à manger, l'aidait à se déplacer. Elle cachait mal son chagrin de le voir ainsi diminué. Parfois, le soir, après un bon repas de lièvre, il retrouvait son énergie et s'asseyait avec ses petits-enfants pour leur raconter les récits qu'il avait appris de la bouche de son paternel en haut de Pessamit, il y avait de ça une vie.

Après Noël, une chape de froid intense est tombée sur la région. La forêt craquait de toutes parts. Le gibier n'osait sortir. L'hiver nous enserrait encore une fois de sa poigne de glace.

Thomas s'inquiétait de voir son père marcher avec difficulté et il a décidé de déménager le campement un peu plus au sud. Nous avons installé Malek dans un toboggan que Thomas tirait, après l'avoir enroulé dans des couvertures et des peaux. Nous traînions tous une charge supplémentaire, même les plus petits. La mienne comprenait la tente, les outils et des vêtements. J'avais placé une lanière de cuir autour de mon front pour répartir le poids et m'aider dans ma tâche. Malgré le froid mordant, nous avancions en sueur dans la forêt pétrifiée.

Entouré des siens, le vieux nomade, lui, paraissait serein. De nombreuses années plus tôt, Malek m'avait expliqué comment il s'imaginait ses derniers moments.

« C'est Dieu qui a créé la vieillesse. Elle prive peu à peu les hommes de leurs forces, de la vue, de l'ouïe et de toutes ces choses qui leur permettent de vivre. Cette faiblesse oblige les autres à aider les vieux, à les soutenir, à faire preuve de générosité. La vieillesse profite à tout le monde. Ainsi en a voulu le Créateur, Almanda. »

Ses paroles me revenaient alors que nous avancions avec lenteur, inondés de la lumière sans chaleur du soleil du Nord. Malek avait aidé son père et sa mère. Ses enfants en faisaient autant maintenant. La vie suivait son cours, toujours ce cercle qui dictait l'ordre des choses.

Le soir, Daniel et Thomas installaient leur père au chaud dans sa tente. Anne-Marie dormait avec lui, s'assurant que le poêle ne manquerait pas de bois. Parfois, nous nous arrêtions deux ou trois jours pour donner au vieux le temps de refaire ses forces. À ce rythme, il nous a fallu trois semaines pour atteindre le lac à la Carpe, au nord de la Fourche Manouane, où nous avons monté notre campement au milieu d'une épaisse pinède. C'était un bel endroit pour affronter le reste de l'hiver.

Malek semblait heureux. Il mangeait avec nous mais demandait qu'on le mette au lit assez tôt. Anne-Marie demeurait de longues heures près de son grand-père. Le lien qui les unissait était puissant. Depuis la prime enfance de sa première petite-fille, il avait fait preuve d'une patience sans limites pour elle. Aujourd'hui, celle-ci prenait soin de lui, lui massait les épaules et les bras quand il se plaignait de courbatures, s'occupait du feu et lui racontait des histoires pour le distraire. Parfois, émergeant d'un sommeil profond, il posait sur Anne-Marie un regard empli d'amour.

Pendant quelques semaines, il a semblé aller mieux. Ses douleurs à la poitrine avaient disparu et il souffrait moins d'engourdissements. Thomas passait de longs moments près de son père. Silencieux, il tenait sa main.

La chasse continuait d'être mauvaise en raison du froid intense. Nous survivions surtout avec les rares bêtes que nous prenions au piège. Bientôt, peut-être, les outardes arriveraient.

Le matin, après avoir fait le tour de mes collets, j'allais sur la rivière. Avec ma hache, je creusais un trou dans la glace épaisse et j'y jetais des lignes. J'attrapais parfois de beaux dorés, ce qui faisait plaisir à Malek, dont c'était le poisson favori.

« La ouananiche est un poisson majestueux, disait-il, mais le doré, avec sa chair ferme au goût de beurre, est le plus savoureux. »

Les jours allongeaient et le temps commençait enfin à se réchauffer quand les premières outardes sont arrivées. Anne-Marie et Jeannette en ont rapporté un après-midi et je les ai fait cuire à la broche sur le feu. L'odeur de chair grillée des oiseaux embaumait la tente et a jeté un peu de lumière dans le regard de Malek. Sans doute était-ce aussi dû à la fierté qu'éprouvait le vieux chasseur devant l'exploit de ses petites-filles. Ce festin annonçait le printemps et, bientôt, le retour vers Pekuakami.

Mais Malek ne reverrait pas le lac. Il est mort dans son sommeil cette nuit-là. Au matin, tout le clan s'est réuni autour de lui une dernière fois. J'ai pris ma bible et nous avons prié le Créateur, certains que Malek, après avoir mené une existence exemplaire, l'avait rejoint. Anne-Marie et Jeannette se vidaient de leurs larmes. Thomas, Daniel et Marie aussi. Pétrifiée, cette dernière paraissait, pour la première fois depuis que je la connaissais, désemparée. Elle tenait la main froide de son père, l'âme froissée, les yeux mouillés, la gorge serrée.

Nos chants montaient en une seule voix, celle de la famille de Malek, entre les arbres et les montagnes, poussés par le vent de l'est jusqu'au ciel. Du moins l'espérions-nous.

Il restait beaucoup trop de neige pour l'enterrer et, de toute façon, le sol était dur comme du roc. Après avoir prié toute une journée, nous avons fait nos bagages et levé le camp le lendemain à l'aube. Thomas et Daniel ont placé le corps de leur père sur un toboggan et l'ont enveloppé dans un sarcophage de belles peaux de caribou. Toute la famille a mis le cap vers le sud.

À mesure que nous avancions, le temps se réchauffait et la neige granuleuse ne supportait plus le poids
de nos raquettes, qui s'enfonçaient. Mais personne
ne se plaignait. Épuisés après plusieurs jours d'une
pénible marche en forêt, nous sommes enfin arrivés
à Mistook. Ce n'était qu'un hameau à l'époque, pas
loin d'Alma, où quelques maisons serraient une jolie
église de planches surmontée d'un clocher argenté.
La route de terre défoncée était à peine praticable
pour les charrettes.

Nous avons planté nos tentes près du cimetière. Le
curé a célébré les funérailles le lendemain matin dans
l'église déserte. Nos chants ont accompagné Malek
Siméon jusqu'à son dernier repos. En cherchant
dans le petit cimetière, on peut encore aujourd'hui
trouver sa tombe.

Le lendemain, Thomas, Daniel et son associé sont
repartis vers le Péribonka, et Marie et moi sommes
restées avec les enfants. Au retour des hommes, la
neige avait fondu, et leurs canots débordaient de
pelleterie. Le ventre rond de mon aînée annonçait
qu'elle accoucherait cet été à Pointe-Bleue. Thomas
était le chef de la famille maintenant, et nous allions
être grands-parents. La vie est un cercle. Le destin
me le rappelait encore.

LA NAUSÉE

Les signes avant-coureurs étaient là depuis longtemps. Les fermiers avaient défriché et encerclé
tout le lac. L'odeur du fumier se répandait. De nouveaux villages voyaient le jour et plusieurs clochers
s'élevaient maintenant dans le ciel de Nitassinan.
Les bûcherons, surtout, étaient de plus en plus nombreux et actifs. Ils avaient commencé par les arbres
autour du lac et des villages. Puis, ils avaient remonté
plus haut dans le bois. Nous en croisions de temps en
temps à la baie de la Pipe. Il arrivait que nous tombions sur un secteur où ils avaient sévi. Les bûcherons ne laissaient derrière eux que des savanes har-
celées de nuées de mouches noires.

Quand nous tombions sur une coupe à blanc,
Thomas, d'ordinaire si calme, s'emportait.

« Ils ne se contentent pas de couper les arbres,
rageait-il, c'est toute la vie qu'ils détruisent, les
oiseaux, les animaux, ils abattent l'esprit même de
la forêt. Comment des hommes peuvent-ils se montrer aussi cruels ? »

Thomas avait raison. Mais son raisonnement était
celui d'un Innu qui sait qu'il reviendra toujours sur

ses pas. Le bûcheron, lui, marche droit devant, sans regarder derrière. Il suit le progrès.

Dans les années qui ont suivi la mort de Malek, on a commencé à voir de plus en plus de chemins pour monter les hommes et leurs machines toujours plus haut dans le bois. Peut-être l'aîné aurait-il su comment nous préparer. Nous ne pouvions plus compter sur sa sagesse pour nous guider au moment où nous en avions le plus besoin.

Nitassinan se transformait, mais nous refusions de le voir. Ou peut-être ne le pouvions-nous tout simplement pas. Comment imaginer une forêt rasée ? Le temps s'accélérait, mais nous continuions de vivre au rythme d'une forêt agonisante, car nous n'en connaissions pas d'autres.

Cet été-là avait été doux et pluvieux. Lorsqu'il a tiré à sa fin, fébriles, nous avons préparé nos bagages comme d'habitude. Avant le départ, l'église de Pointe-Bleue s'est remplie et les chants des Innus ont monté dans l'air tiède. Après avoir communié, tout le clan a mis les canots à l'eau. Pekuakami bougeait à peine. Comme s'il savait et retenait son souffle.

Après trois jours, alors que nous approchions de l'embouchure de la rivière Péribonka, l'air s'est chargé d'une odeur de bois mouillé qui donnait la nausée. Sur le lac flottait une masse immense, sombre et ondulante. Aucun d'entre nous n'avait jamais rien vu de semblable. Ce n'est qu'en nous approchant que nous avons compris.

Des milliers d'arbres coupés flottaient à la surface de Pekuakami, portés par le courant. Le bois arrivait de la rivière. Notre rivière, sur laquelle dansaient des hommes armés de longues piques munies de crochets de métal à leur extrémité avec lesquelles ils dégageaient les troncs coincés par le courant entre les rochers.

Dans nos canots, nous étions paralysés par l'effroi. Devant nous, la Péribonka étouffant sous le poids des troncs vomissait la forêt dans le lac.

LES DRAVEURS

Les draveurs avaient pris possession de la Péribonka. Un groupe d'individus discutaient autour d'un nœud qui s'était formé près d'un remous. Des centaines de billots de bois imbriqués les uns dans les autres constituaient un bouchon qui bloquait la ligne de drave. Les hommes s'impatientaient. Il fallait faire quelque chose, mais ils ne semblaient pas s'entendre sur la suite des événements.

L'un d'eux, qui paraissait le plus âgé et portait un chapeau à large bord, a attaché des bâtons de dynamite au bout d'une perche qu'il a plongée sous l'enchevêtrement de bois. Il a allumé une longue mèche et tout le monde s'est précipité vers la rive en courant sur les troncs qui flottaient pour se mettre à couvert. La déflagration a projeté dans l'air des nuages d'écume. Autour de nos embarcations, les cadavres de poissons ont remonté à la surface, le ventre blanc dans l'eau souillée.

Des larmes ont coulé de mes yeux et la rage a rempli mon cœur. Nous avons accosté et Thomas s'est dirigé vers l'individu au couvre-chef, un type grand et sec au visage effilé comme la lame d'un couteau.

« Parle français, l'Indien, je ne comprends rien de ce que tu racontes. »

Thomas faisait des efforts, mais l'autre ne voulait rien savoir. Je me suis interposée.

« Me comprenez-vous, moi ? »

Il m'a regardée, étonné sans doute de m'entendre parler sa langue sans l'accent chantant des Innus.

« Qu'est-ce que vous voulez ? Vous ne pouvez pas rester ici, c'est dangereux. Dégagez.

— Qu'est-ce que vous avez fait à la rivière ? »

Le maître draveur m'a dévisagée, incrédule.

« C'est la drave, ma petite madame. La Price a ouvert un chantier en haut, a-t-il dit en pointant sa pipe vers l'amont de la rivière, pis nous autres on descend le bois.

— Et comment est-ce qu'on va contourner ça pour monter dans le Nord ? »

Avec le recul, je réalise la naïveté de ma réaction. L'homme a ri. Puis il a tiré une bouffée de sa pipe et a semblé comprendre enfin qui nous étions. Et, surtout, où nous allions.

« Personne ne peut passer ici. »

Je me suis approchée de lui et je l'ai fixé. Il a replacé son chapeau pour se donner une contenance.

« La drave commence au lac Péribonka. Des bûcherons coupent aussi au Manouane et j'ai des hommes sur cette rivière-là également. Vous ne pouvez pas vous promener ici, le terrain appartient à la compagnie. Retournez chez vous. »

Le maître draveur s'est tourné vers ses hommes, donnant des instructions pour dégager un tas de billots.

« Je n'ai pas fini de vous parler. »

Il ne semblait plus m'entendre.

« Il n'est pas question de retourner chez nous, comme vous dites. »

J'ai monté le ton et le maître draveur a hurlé des ordres à ses hommes.

Je l'ai bousculé et il a failli tomber. Il s'est enfin retourné, m'a jeté un regard noir en levant le poing vers moi. Il a à peine eu le temps de bouger que Thomas l'avait saisi à la gorge et que Daniel se tenait près de lui, sa Winchester dans les mains.

L'homme a écarté les bras.

« Heille, ce n'est pas moi qui décide. Je ne suis que le maître draveur. Mon travail, c'est de m'assurer que le transport du bois se fasse dans les meilleures conditions. Le lot le long de la Péribonka appartient à Frank Ross.

— La forêt n'appartient pas à Ross.

— Madame, il l'a payée au gouvernement. Il est dans son droit. Retournez chez vous.

— Chez nous, c'est là-haut ! »

C'était moi qui hurlais maintenant.

« Mes enfants sont nés au Péribonka, c'est là qu'on vit. »

J'avais envie de pleurer de rage et le maître draveur l'a sans doute senti. Il a pris une voix plus douce et s'est approché de moi.

« Retournez à Pointe-Bleue, madame. De toute façon, ça ne passe plus en canot ici. Je suis désolé. »

Il est reparti à ses occupations, courant sur les billots avec adresse en criant ses ordres. Nous sommes restés devant la rivière, ou ce qu'elle était devenue. L'odeur du bois mouillé emplissait nos narines. Devant nous, des dizaines d'hommes s'affairaient. En haut, les bûcherons coupaient notre forêt, et ceux-là se chargeaient de la transporter vers l'usine de pulpe. Qui avait l'autorité de faire cela sans même nous demander notre avis?

Aucun de nous n'osait bouger, et nous sommes restés figés dans nos embarcations pendant long-temps. C'est Marie qui a pris Thomas par le bras. On ne pouvait demeurer là, a-t-elle dit. Mieux valait retourner à Pointe-Bleue.

La plupart de nos rivières ont subi la drave et, au cours des jours suivants, plusieurs familles, comme nous, sont revenues à Pointe-Bleue. Les compagnies forestières ont construit des routes méthodiquement, pour monter toujours plus loin et couper toujours plus de bois.

Nous, nous sommes restés dans la réserve. Il n'y avait de toute façon nulle part ailleurs où aller. Le bois alimentait les usines de pâte à papier et les scie-ries. Elles fournissaient du travail aux colons. Le pro-grès était enfin arrivé. Ainsi les gens le croyaient-ils. Mais la vie est un cercle. Le temps se chargerait de le leur rappeler un jour.

Je n'ai pas revu la Péribonka pendant des années. Quand j'y suis allée des décennies plus tard en *pick-up* avec Antonio, je n'ai pas reconnu le pays. Le chemin passe derrière Saint-Ludger-de-Milot et traverse les montagnes. Il y a plein de chalets et presque plus de bois. Nous nous sommes tentés au bord d'un lac.

Un garde-chasse, un jeune homme dans la vingtaine, est venu vers nous.

«Vous avez tué du gibier, vous autres. Avez-vous
un permis?

— On est Indiens, on a le droit de chasser ici.»

Il m'a regardée et j'ai vu du mépris au fond de ses
yeux. Grand et costaud, il avait un visage rougeaud
et j'étais pour lui, avec ma jupe à carreaux, ma croix
au cou, mon béret et ma pipe, une vieille Indienne.
Une sauvage.

«Vous n'avez pas le droit.»

Il a tenté de prendre mon fusil et Antonio a sauté
sur lui. Ils ont roulé dans la terre. Quand mon fils
s'est relevé, l'autre, qui debout le dépassait d'une
tête, reposait au sol inanimé, l'œil tuméfié, du sang
plein la bouche.

«Viens, Antonio, on part. Il va nous faire des
problèmes.»

Je n'ai jamais revu cet homme et je ne suis plus
retournée au Péribonka. Mais j'y pense chaque jour.

BOOMTOWN

Coupés du territoire, nous avons dû apprendre à vivre autrement. Passer directement d'une vie de mouvement à une existence sédentaire. Nous n'avons pas su comment faire et, encore aujourd'hui, on ne sait pas toujours. L'ennui s'est infiltré et a distillé son amertume dans les âmes.

Ceux qui avaient des maisons s'y sont enfermés, les autres ont monté leurs tentes devant le lac. Le premier hiver à Pointe-Bleue a été terrible. Le vent survolait la surface gelée et s'engouffrait dans le village de cabanes et de tentes. Le gouvernement a distribué des subsides aux familles pour leur permettre de vivre. Nous serions morts de faim, car il n'y avait pas assez de gibier autour de la réserve pour tout le monde. Les Innus sont passés de l'autonomie à la dépendance. Nous n'en sommes jamais tout à fait sortis encore.

Il n'y avait pas grand-chose à faire à Pointe-Bleue. Notre savoir n'y servait à rien. Les hommes comme Thomas s'y trouvaient vidés d'eux-mêmes, et leurs regards se sont éteints peu à peu. Ils n'ont pas eu besoin de nous tuer. Ils n'ont eu qu'à nous affamer et à nous regarder mourir à petit feu.

Flottage de bois sur le lac Kénogami.

Beaucoup se sont réfugiés dans l'alcool. Peut-on les blâmer de vouloir engourdir la douleur? Certains ont essayé de cultiver les champs autour. Ils faisaient de bien curieux fermiers. Quelques-uns ont travaillé comme guides dans les pourvoiries. Thomas, Daniel et mes fils l'ont fait dans une luxueuse propriété du parc des Laurentides. Aider de riches étrangers à rapporter des trophées de chasse à Chicago, New York ou quelque part au Michigan était une tâche humiliante, mais au moins ils étaient dans le bois.

D'autres se faisaient engager dans les chantiers, où on leur confiait de petits boulots peu payants qui consistaient à assister les bûcherons qui les avaient dépossédés. Ceux-là revenaient brisés.

Roberval connaissait une période d'abondance. Les chantiers attiraient de nouveaux habitants. Il fallait construire des maisons, des rues pour leur faire de la place. De nouveaux commerces ouvraient leurs portes, briqueterie, fonderie, filature de laine, même une manufacture de canots. Le pauvre village de fermiers se muait en une ville industrieuse et prospère.

Le Gros Bill, qui faisait des affaires d'or avec sa scierie, ne manquait pas de bois à transformer en planches.

« Les compagnies se disputent la forêt autour du lac Saint-Jean, m'a-t-il expliqué un jour que j'étais passée acheter des madriers pour agrandir notre cabane. La Price, la Quebec Development, la Compagnie de pulpe de Chicoutimi remplissent les poches des politiciens de pots-de-vin. Le bois va au plus offrant, madame Siméon. C'est comme ça.

173

— C'est ce que vous appelez le progrès ?»

William Girard s'est contenté de hausser les épaules.

Mes belles-sœurs et moi nous sommes consacrées à la fabrication de paniers d'écorce décorés de jolis motifs, de mocassins de peau de *mush*, de mitaines perlées, de bijoux et de tous ces objets qui, avant, faisaient partie de notre quotidien. Nous les vendions dans une boutique de souvenirs. Mon plus jeune garçon, Gérard, nous donnait un coup de main. Ses raquettes sont vite devenues très populaires. Il recevait même des commandes de riches Américains qui voulaient d'authentiques canots d'écorce pour lesquels ils étaient prêts à payer une petite fortune.

J'ai toujours haï le mot «artisanat». Mais ça nous a permis de conserver le savoir dans la famille. C'était notre dernier trésor.

CHEMINS DE FER

Je déteste les trains. Je déteste leurs voies ferrées, elles déchirent le paysage, leurs locomotives hurlent et puent.

Quand le chemin de fer est arrivé à Roberval, ce n'était qu'une modeste paroisse de fermiers, un village avec une église et quelques bâtiments serrés autour. Indiens et Blancs vivaient paisibles sur le bord de Pekuakami. Le train a tout changé.

Les wagons de la Quebec and Lake St-John Railway ont relié Roberval au reste du monde grâce à un long chemin bûché à travers la forêt jusqu'à Québec. De là, les voies allaient vers l'est, l'ouest et le sud. Les fermiers, qui vivaient jusque-là à peu près en autarcie, pouvaient, grâce aux convois réfrigérés, expédier leurs récoltes, le beurre, le lait, la crème vers les grandes villes du sud. Et les wagons revenaient avec dans leur ventre plus de colons et de bûcherons.

Et le chemin de fer a amené chez nous une race qu'on n'avait jamais vue : les touristes.

Les trains avaient permis à Horace Beemer, un homme d'affaires américain à l'ambition vorace, de faire fortune. Il a construit le chemin de fer de

Roberval, puis il a fait bâtir une scierie. Et enfin un hôtel de luxe comme personne n'en avait vu sur le bord de Pekuakami, un véritable château, comme les gens l'appelaient d'ailleurs, pouvant héberger des centaines de visiteurs.

À Roberval, tout le monde le prenait pour un fou. Mais les touristes sont venus par wagons entiers, des États-Unis pour la plupart, attirés par la beauté de Nitassinan et par le majestueux Pekuakami.

Pour les occuper, Beemer organisait toutes sortes d'activités. Il a construit des terrains de jeu, des terrains de croquet. Il a même fait capturer des ours qu'il a mis en cage, ce qui impressionnait beaucoup ses clients. Comme si *mashk* était un jouet. Quelques années plus tard, quand un violent incendie a rasé le château Roberval, Horace Beemer en est mort de chagrin et d'épuisement, dit-on. J'ai toujours pensé que l'esprit de *mashk* lui avait rendu la monnaie de sa pièce.

La plupart des gens venaient pour profiter des eaux poissonneuses. Ils se déplaçaient sur Pekuakami à bord de bateaux à vapeur, comme on en voyait sur le Mississippi, dans les romans de Mark Twain. Ils pêchaient sur le lac et ses rivières, dans l'espoir d'attraper la ouananiche. Les affaires marchaient si bien que Beemer avait fait construire un deuxième hôtel de l'autre côté du lac sur une île située près de la Péribonka. Les bateaux à vapeur assuraient la liaison entre le château et la Island House, qui ressemblait à un gros chalet de pêche.

L'argent coulait à flots. Grâce au chemin de fer, la prospérité tant espérée devenait enfin une chose concrète et toutes les villes voulaient leur gare. Chicoutimi l'a eue cinq ans plus tard. Laterrière l'année suivante, puis ce fut au tour de Saint-Félicien. Pour s'y rendre, le chemin de fer devait passer dans Pointe-Bleue. Évidemment, personne ne nous a demandé notre avis et, surtout, jamais les ingénieurs n'ont envisagé de contourner notre communauté.

Un midi, deux employés de la Quebec and Lake St-John Railway ont cogné à ma porte.

« Le train va passer juste ici, madame, a dit celui qui semblait être le chef en désignant les fourrés devant chez moi. Il va falloir démolir votre maison. »

L'homme qui menaçait de raser la cabane que j'avais eu tant de peine à faire construire était un type plutôt grand et sec avec un dos voûté et des lunettes posées sur son nez fin. Sa délicate moustache noire lui donnait un air de médecin de campagne. Il portait un complet de laine et une chaîne de montre en or pendait sur son gilet.

« Vous voulez démolir ma maison ?

— Évidemment, nous allons vous indemniser, madame. »

Je me suis avancée sur le perron, j'ai fermé la porte derrière moi et fixé l'employé de la compagnie de chemin de fer.

« Non. »

Il a paru décontenancé.

« Comment ça, non ? Ce n'est pas une question. Le tracé est déjà décidé. »

J'ai croisé les bras. Il m'a regardée avec de drôles d'yeux. J'imagine que ces types n'avaient pas l'habitude de se faire dire non. Je lui ai tourné le dos et suis rentrée chez moi.

Le lendemain, les hommes de la compagnie de train ont à nouveau cogné à ma porte. L'employé de la Quebec and Lake St-John Railway, la main dans la poche de sa veste, tapotait sa montre.

« Bonjour, madame. »

Je l'ai toisé et il a soutenu mon regard.

« Hier, vous m'avez mal compris, madame. Je ne suis pas venu vous demander la permission. Le train va passer juste là, a-t-il dit en montrant de son long bras le chemin qu'il souhaitait construire à un jet de pierre de chez moi. On ne peut pas contourner votre maison à cause de la butte, là, derrière. La compagnie a obtenu toutes les autorisations. Vous serez dédommagée.

— Je me fous de vos papiers. C'est chez nous ici, vous êtes sur une réserve, vous ne me forcerez pas à partir.

— Écoutez, madame. Je comprends que ce n'est pas agréable. Mais on va vous construire une autre maison, flambant neuve, juste un peu plus loin. Mieux que ce que vous avez, si je peux me permettre. »

Il avait sorti sa montre de sa poche et la faisait glisser entre ses doigts, l'or brillant au soleil.

« Non.

— Vous ne pouvez pas dire non. C'est la procédure. »

Il avait haussé le ton et me fixait avec ce regard qu'ont ces hommes qui estiment avoir tous les droits.

« Ce n'est pas une tente. Si vous n'êtes pas content, faites le tour. »

J'ai tourné les talons et refermé la porte. Il est resté sur le perron, la montre dans sa main moite.

Quelques semaines plus tard, le chemin de fer approchait de Pointe-Bleue. Des ouvriers s'y affairaient du matin au soir, coupant le bois et plantant les rails dans le sol à grands coups de masse. La voie ferrée a été complétée jusqu'à Saint-Félicien en 1917. Elle passait à quelques mètres de ma porte. Les ingénieurs n'avaient pas dévié la voie.

Quand le train est entré pour la première fois à Pointe-Bleue, nous avons d'abord cru à un tremblement de terre. La cabane s'est mise à trembler comme une feuille au vent. Les vitres claquaient, les murs semblaient sur le point de voler en éclats. Un bruit sourd a monté et la vaisselle s'est renversée dans les armoires. Les enfants se sont mis à pleurer. Tout le monde est sorti, la peur au ventre, et le train a filé devant nous en hurlant. Quand enfin il s'est éloigné et que la maison a cessé de trembler, nous sommes restés là devant les rails vides.

Mon fils Antonio m'a jeté un regard apeuré.

« Maman, c'est quoi, ça ?

— Quoi ?

— Le train !

— Quel train, Antonio ?

— Lui, maman, a-t-il répliqué en pointant le doigt vers les wagons qui s'éloignaient. Il a failli faire tomber notre maison.

— Il n'y a pas de train ici, mon garçon. Rentrons chez nous. »

On me l'a imposé et, pendant des années, je l'ai ignoré. Je l'ignore encore. Les rails sont toujours en face de ma porte, mais il n'y passe plus guère de convois. Il paraît même que la Canadian National Railway songe à abandonner le train de passagers dans le secteur.

Pour moi, ça ne change pas grand-chose. Ce train n'a jamais existé. Et notre maison est encore là où Thomas l'a construite de ses mains. Elle y restera.

BRISURE

Les années ont passé et j'en retiens des images de grisaille. En nous obligeant à rester à Pointe-Bleue, ils ont voulu faire de nous des gens comme eux. Nomades dépossédés, nous ne pouvions être que ce que nous étions, des apatrides.

Après nos terres, ils ont pris la seule chose qui nous restait, nos enfants.

Un matin, quatre hydravions sont apparus à l'horizon. Ils ont fait un tour au-dessus de Pointe-Bleue, balançant leurs ailes dans le ciel. Puis ils ont piqué et ont amerri sur Pekuakami, juste en face de chez nous. Les pilotes ont dirigé vers la rive leurs appareils qui dansaient sur l'eau en grondant. Au même moment, des policiers de la Gendarmerie royale du Canada arrivaient en camions par le chemin de Roberval. Des fonctionnaires fédéraux les précédaient dans une grosse berline noire comme un corbeau, qu'ils ont garée face aux avions.

Un officier est descendu de l'auto et il a ordonné à tout le monde de se rassembler.

«Je suis le sergent Leroux. Nous sommes ici pour emmener les enfants au pensionnat. Le Canada va leur fournir une éducation respectable.»

Les gens ont entouré l'officier et le père Jodoin, le curé de la paroisse, qui l'accompagnait. Le sergent avait une voix de stentor, ses paroles résonnaient comme le tonnerre.

« Tous les enfants de six à quinze ans vont aller à l'école. Préparez vos affaires, les avions partent dans une heure. »

Les policiers se sont dispersés dans le village, allant de maison en maison. Certains parents refusaient de laisser la police emporter leurs petits. Le ton montait parfois. Les armes des agents étaient bien visibles. À un moment, le fonctionnaire a élevé la voix. C'était un homme à la silhouette plutôt frêle, vêtu d'un costume marron qui le serrait un peu trop. Il portait des lunettes cerclées de métal et sa voix claquait avec une froideur qui glaçait le sang.

« Vous n'avez pas d'argent pour les éduquer et les nourrir comme ils en ont le droit. Regardez-les ! Vos enfants ne savent ni lire ni écrire. Ils sont maigres. Ils ont l'air de vrais sauvages. Au pensionnat, on va les nourrir et les loger convenablement. Ils vont apprendre à lire et à écrire. Ce sont des religieux qui vont s'en charger. C'est mieux pour eux ainsi.

— Vous n'avez pas le droit de nous prendre nos enfants, a dit Antonio au policier.

— Si vous refusez, c'est l'armée qui va les emmener, a lancé le fonctionnaire. N'essayez pas de jouer aux plus fins avec le gouvernement. Vous n'avez pas le choix. Les Indiens doivent apprendre à lire comme les autres Canadiens. C'est aussi simple que ça. Il est temps, même pour les sauvages, de devenir modernes. »

D'une voix sèche, le fonctionnaire a expliqué que les enfants passeraient l'année scolaire au pensionnat. Qu'ils y seraient bien traités et que c'était une chance pour les parents que leurs rejetons puissent bénéficier d'une bonne éducation. Mais beaucoup de parents ont protesté. Les policiers commençaient à devenir nerveux et ils gardaient la main sur leur arme.

L'homme en soutane, qui s'était tenu tranquille depuis le début, a pris la parole. Il a insisté sur le fait que l'Église allait s'occuper des enfants.

«Vous ne voulez pas vous opposer à la volonté de Dieu et de la bonne sainte Anne, j'espère», a-t-il dit de sa voix suave.

Sainte Anne est notre patronne. Moi-même, je m'en suis trouvée ébranlée.

Les policiers ont emmené en canot les jeunes jusqu'aux avions. Plusieurs, ne sachant pas nager, pleuraient parce qu'ils avaient peur de tomber. Les embarcations sont revenues vides sur la rive et les appareils se sont éloignés. Les moteurs ont rugi et les oiseaux de métal ont filé vers le large. Le ventre lourd, ils ont grimpé dans le ciel, puis ont viré vers l'ouest en emportant mes petits-enfants et tous les autres. Sur la plage, un sentiment de honte montait en tous ceux qui n'avaient pas trouvé la force de s'opposer à la volonté d'Ottawa et de Rome. Les avions ont disparu, avalés par les nuages.

Nous ne savions rien de Fort George, leur destination. Le prêtre nous avait expliqué que c'était une île située en territoire cri, à la limite de celui des Inuit, au bout de la Grande Rivière. Les Innus connaissaient ce cours d'eau qui se jette dans la mer du Nord, mais aucun d'entre nous n'était jamais allé jusqu'à cet endroit situé à des centaines de kilomètres de Pointe-Bleue.

Le lendemain, un calme lourd régnait. Essayez d'imaginer un village vidé de ses enfants.

Les mois ont passé avec lenteur sur le bord de Pekuakami. Un hiver plus morne et triste encore que les précédents. Nous n'avions aucune nouvelle des petits. En dépit de l'intervention du prêtre, beaucoup de parents s'en voulaient de les avoir laissés partir. Mais il était trop tard pour les regrets. Thomas continuait de chasser autour de Pointe-Bleue, même si le gibier se faisait de plus en plus rare. Toutes les terres avaient été défrichées et il fallait désormais faire des distances importantes pour trouver de la forêt. De mon côté, je me plongeais dans l'artisanat pour oublier.

Au mois de juin, les avions sont revenus et tout le village a couru vers la plage. Les enfants avaient les cheveux coupés, ils portaient des vêtements de Blancs et, dans leurs regards, quelque chose avait disparu. Ou peut-être était-ce dans le nôtre.

J'étais là avec les autres sur la plage, cherchant les miens parmi ces visages fatigués. Quand j'ai vu la fille aînée d'Antonio, Jeannette, à qui son père avait donné le nom de sa sœur favorite, marcher vers nous seule, mon cœur s'est serré. Où était Julienne ?

« Où est ta petite sœur, Jeannette ?

— Je ne sais pas. »

Sa voix tremblait. Antonio m'a regardée, inquiet. Le prêtre qui ramenait les petits s'est approché de nous.

« L'enfant est tombée malade cet hiver. Son état s'est aggravé et il a fallu l'envoyer en urgence à l'hôpital à Montréal. Malheureusement, les médecins n'ont pas pu la sauver. Nous avons beaucoup prié pour elle. »

La femme d'Antonio s'est jetée à genoux et a poussé un cri qui a déchiré le ciel. Mon fils fixait le prêtre, incrédule. Personne n'avait cru bon de prévenir la famille.

« Elle a eu quelque chose au cœur, a-t-il poursuivi.

— Ma petite-fille n'a jamais eu de problèmes de santé, suis-je intervenue.

— Je ne suis pas médecin, madame Siméon. Elle a commencé à se sentir mal. Nous n'avons pas eu le choix de l'envoyer à l'hôpital, car nous n'avons qu'un modeste dispensaire à Fort George. »

Ma belle-fille tremblait comme une feuille. Je l'ai serrée dans mes bras. Antonio a pris Jeannette dans les siens et nous sommes restés sur la plage à pleurer ensemble.

Ce soir-là, dans notre lit, je me suis collée contre Thomas. Pour une fois, le contact de sa peau contre la mienne ne suffisait pas à chasser la douleur dans mon ventre, ni à ramener la chaleur dans notre lit.

Nous n'avons jamais su ce qui s'était passé, ni ce dont la petite avait souffert, sinon ce problème au cœur. Avait-elle seulement été malade? Personne n'avait eu ce genre de mal dans la famille.

Quand, plus tard, toutes les histoires d'horreur sur les pensionnats ont commencé à circuler, je me suis demandé ce qui était vraiment arrivé à Julienne, sans jamais recevoir de réponses.

Julienne Siméon entourée de ses cousines Catherine Basile et Marthe Vollant au pensionnat de Fort George.

LE MAL

Mes enfants sont nés dans le bois. Mes petits-enfants ont grandi sur une réserve. Les premiers ont reçu leur éducation en territoire, les seconds, au pensionnat. En en revenant, les enfants s'exprimaient en français. Les pères blancs leur interdisaient de parler l'innu-aimun et punissaient même ceux qui le faisaient. Un autre pont a été coupé entre les générations. Ils ont pensé qu'en les dépossédant de leur langue, ils en feraient des Blancs. Mais un Innu qui parle français reste un Innu. Avec une blessure de plus.

Pour la première fois de notre histoire, les jeunes Innus ne se tournaient plus vers les aînés pour apprendre. Pire, ils s'en méfiaient, car leurs professeurs leur avaient répété que leurs parents, incapables de lire, étaient des sauvages, des incultes, des arriérés. À force de l'entendre, ils ont fini par le croire.

Quand, à la fin de l'été, les avions sont réapparus, les enfants sont repartis à Fort George. Un autre hiver sans eux nous attendait. Cela aussi a nourri la colère.

Thomas réussissait à tuer assez d'orignaux pour nous fournir en peaux. Les mocassins et les mitaines perlées se vendaient bien, tout comme les paniers d'écorce de bouleau. Nous travaillions de longues heures et Gérard, mon plus jeune, continuait de nous aider. Clément, lui, accompagnait son père dans le bois. Antonio restait souvent derrière pour boire. Certains chagrins laissent sur le cœur des cicatrices indélébiles.

Clément Siméon remontant la rivière Péribonka.

On a commencé à observer des phénomènes qu'on n'avait jamais vus à Pointe-Bleue. Des hommes se soûlaient toute la journée puis battaient leur femme. Des mères buvaient aussi, même enceintes, et se bagarraient entre elles. Autrefois, les gens consommaient l'été, mais jamais le reste de l'année, car personne n'emportait d'alcool en territoire. Maintenant que tout le monde restait à Pointe-Bleue, beaucoup n'avaient rien d'autre à faire.

Il y a eu aussi plusieurs accidents de train. Les gens intoxiqués marchaient sur les rails sans se préoccuper des locomotives. Certains s'y endormaient le jour ou la nuit. Après des morts tragiques, le train s'est mis à ralentir dès qu'il entrait sur le territoire de Pointe-Bleue, et le chauffeur actionnait la sirène tant qu'il n'était pas sorti de la réserve. Ils le font encore aujourd'hui.

Les premiers suicides ont été un choc. On n'en avait jamais vu avant. Qu'est-ce qui avait pu pousser les gens à un tel désespoir? Puis ils se sont multipliés. Soudain, une épidémie de morts s'est répandue.

Pourtant, de l'extérieur, la situation paraissait s'être améliorée dans la réserve. On construisait de nouvelles maisons, des commerces ouvraient leurs portes. L'ancien village de tentes commençait à ressembler à une communauté moderne. Le progrès, enfin. Mais les signes de désarroi s'accumulaient: résidences délabrées, rues de terre battue où les jeunes traînaient tard les soirs d'été.

L'alcool et la violence n'étaient pas le problème. Ils étaient plutôt les symptômes du mal insidieux qui rongeait les Innus.

L'IMMEUBLE DE QUATORZE LOGEMENTS

Ma fille Jeannette est tombée amoureuse d'un homme qui travaillait à la construction du chemin de fer. Enfant illégitime d'un Indien, il avait un statut de Blanc et, en se mariant avec lui, ma fille a été dépouillée de son statut d'Indienne. Une manière de plus pour nous faire disparaître. Elle a été forcée de quitter la réserve. Mais dans cette ville où elle et ses enfants étaient les seules peaux brunes, tout le monde savait ce qu'ils étaient. Jeannette a élevé dix enfants, dont neuf filles, en ville. Au moins, grandir chez les Blancs leur aura évité le pensionnat.

Alma était une localité constituée de maisons posées sur les rives en pente de la Petite Décharge. L'eau de la rivière puait la pulpe de l'usine de papier, où François-Xavier, le mari de Jeannette, travaillait. Cela lui rapportait un bon salaire et lui permettait de nourrir sa famille. Jeannette rêvait de quitter son édifice à logements.

Je suis allée lui rendre visite une fois. Nous étions partis avec le vieux camion de Clément pour un pèlerinage à Sainte-Anne-de-Beaupré et nous avions fait escale à Alma. Il y avait Marie et Christine, ainsi que mes filles Anne-Marie et Virginie avec leurs maris. Nous avions monté nos tentes pour la nuit derrière l'édifice où se trouvait l'appartement de Jeannette. La silhouette massive du bâtiment de quatre étages se démarquait des autres constructions plus modestes de la ville. Des escaliers en colimaçon donnaient accès à de larges balcons à l'avant comme à l'arrière. Quatorze familles y vivaient entassées.

Les Anglais, eux, vivaient plus haut, de l'autre côté de la Grande Décharge, à Riverbend, dans un quartier cossu où de petites maisons élégantes s'alignaient sous les arbres.

La rumeur de notre présence s'était répandue comme une traînée de poudre. Les voisins sortaient la tête des fenêtres. D'autres, habitant plus loin, venaient en auto. Toute la ville voulait voir les sauvages. Les curieux commentaient nos vêtements, qu'ils trouvaient étranges, nos cheveux longs, nos tentes. Nos manières réservées passaient pour farouches. Leur méfiance nous effrayait. La couleur de nos peaux tranchait trop avec la blancheur de cette ville.

Nous sommes repartis le matin à l'aube. Ce qui m'a brisé le cœur, ce ne sont pas ces regards ombrageux – je n'en avais que faire. Mais le malaise des enfants de Jeannette devant cette famille embarrassante m'a chavirée. Je le comprenais, et c'est ce qui me faisait le plus mal. Après notre départ, ces enfants devraient vivre avec les quolibets et les moqueries. Même en ville, ce n'était pas facile d'être innu.

TROTTOIRS

Roberval, à six kilomètres à peine de chez nous, ne cessait de se développer. La première fois que j'y suis allée, avec mon oncle et ma tante, ce n'était encore qu'un gros village avec quelques commerces serrés sur la route de terre longeant Pekuakami.

La prospérité en a fait une ville parcourue de belles avenues asphaltées, de magasins aux vitrines attrayantes. Il y avait des restaurants, un cinéma, des pompiers, des policiers, une fanfare qui défilait chaque été à la Saint-Jean-Baptiste. On avait construit plusieurs écoles et deux églises. Et des bars ouvraient leurs portes jusqu'à tard le soir. Les travailleurs des usines et des chantiers y dépensaient leurs paies.

Attirés par la beauté des Innues, plusieurs d'entre eux débarquaient à Pointe-Bleue en auto avec des bouteilles d'alcool. Désœuvrées et flattées par l'attention qu'ils leur portaient, certaines se laissaient séduire. Dans la culture innue, les femmes peuvent rencontrer des hommes avant de se marier. Cela les aide à bien choisir leur compagnon, car une vie dans le bois est assez exigeante, il faut bien s'entendre.

Il n'était pas rare de voir un véhicule zigzaguer en rugissant au milieu des passants sur nos chemins sans trottoirs, abandonnant dans son sillage l'écho des rires gras et des cris de ses occupants.

Un matin de juin, des parents ont trouvé leur garçon de huit ans dans un fossé, le corps disloqué, le visage couvert de sang coagulé. Ils n'ont vu aucune trace de freins. La mort tragique d'un enfant a semé la consternation dans la communauté.

Le samedi suivant, l'église débordait. Le prêtre a parlé dans son homélie de la fragilité de la vie et du besoin pour les hommes de placer leur foi dans le Créateur. Nous avons prié la bonne sainte Anne.

Deux semaines plus tard, alors qu'il faisait nuit, une automobile a tué une fillette de douze ans qui traversait la rue. Le conducteur a expliqué qu'elle était apparue devant lui et qu'il n'avait pas réussi à stopper son bolide à temps. La tête de l'enfant avait fracassé le pare-brise et l'impact avait projeté son corps dans la boue. Des témoins ont prétendu que le véhicule roulait à grande vitesse, mais celui qui se trouvait derrière le volant, gérant de la scierie, a nié. Quatre jours plus tard, nous nous sommes de nouveau tous entassés dans l'église, le cœur lourd.

Peu de temps après, un chauffard faisait une autre jeune victime. On a retrouvé une bouteille de whisky sur le siège arrière de sa voiture. Mais le conducteur a plaidé que l'enfant avait surgi devant lui et qu'il aurait été impossible de l'éviter. Des gens ont entouré l'automobiliste. La colère grondait. On a entendu les sirènes de la police et de l'ambulance. Il n'y avait plus rien à faire pour l'enfant et le policier a calmé la foule. J'étais dans la rue. L'accident est survenu juste à côté de chez moi, alors que je revenais de la plage, où j'aimais passer la soirée devant un feu.

Le chauffeur empestait l'alcool. À Roberval, quand un policier intercepte un conducteur ivre, il le fait marcher sur une ligne pour vérifier son degré d'ébriété. À Pointe-Bleue, les chemins n'ont pas d'asphalte où tracer ces lignes.

Je me suis présentée au conseil de bande et j'ai exigé qu'il intervienne auprès du gouvernement. Les conseillers et le chef approuvaient, mais qui les écouterait ? Je me suis emportée et ils m'ont dit de me calmer. Devant ces victimes innocentes, rien ne pouvait apaiser ma colère.

L'été suivant, des chauffards ont tué six jeunes. Chaque fois, le même scénario se répétait. Une certaine apathie s'était emparée des habitants de Pointe-Bleue. Que pouvions-nous y faire ?

Pendant que Thomas travaillait à la pourvoirie, j'ai demandé à Clément de venir me conduire à la gare de la Canadian National Railway, qui avait remplacé la Quebec and Lake St-John Railway. Roberval avait beaucoup changé au fil des ans. Je découvrais que l'ancienne paroisse était devenue une ville. Les rues, larges et propres, étaient asphaltées et munies de trottoirs bordés de commerces de toutes sortes dont les affiches colorées se disputaient l'attention des clients.

Ce jour-là, le vent soufflait du nord et soulevait les eaux de Pekuakami. Mais la clameur de la ville, un mélange de moteurs rugissants et de brouhaha des passants, couvrait celle des vagues du lac.

La construction la plus impressionnante par sa taille était l'hôpital, qui apparaissait au bout d'une enfilade de maisons, entre les champs et l'immensité bleue. Les Ursulines y avaient établi, devant le monastère, un énorme sanatorium dont la façade de brique faisait près de deux cents mètres. Le bâtiment comptait deux ailes d'égales dimensions, disposées en angle.

Doté d'ouvertures en pierre, de balcons superposés et de multiples fenêtres et vitraux, le bâtiment de cinq étages pouvait, disait-on, accueillir plus de quatre cents patients, dont la majorité était des tuberculeux. Les sœurs avaient choisi Roberval pour la pureté de l'air de Pekuakami, et l'endroit abritait les victimes de la grande épidémie de tuberculose de toute la région.

La vieille gare avait beaucoup changé. L'ancien bâtiment avec ses lucarnes en flèches avait presque triplé de superficie depuis 1888. Il s'agissait maintenant d'un long édifice au toit en pente. Des employés s'affairaient un peu partout. Une charrette attendait devant, deux vélos étaient appuyés sur le mur de planches. À l'intérieur, un employé se tenait derrière un guichet aux barreaux de fer. Il a levé les yeux. D'instinct, j'ai lissé la grosse croix qui pendait à mon cou pour me donner de la contenance.

«Je voudrais un billet pour Québec.»

L'homme avait environ trente ans, un visage rond et le crâne dégarni. Il portait une chemise blanche avec un haut col et une veste noire. Sa cravate de la même couleur semblait lui comprimer le cou. Il me fixait, les lèvres serrées. Avais-je l'air si étrange avec mes longs cheveux gris noués sous mon béret?

« Un billet pour Québec », ai-je répété.

L'employé de la Canadian National Railway a cligné des yeux, et il a toussé un peu, comme s'il voulait s'éclaircir la voix. Il m'a tendu un papier.

« Le train arrive de Saint-Félicien dans deux heures. »

J'ai pris le billet et je suis ressortie. Je me suis assise sur un banc face à la voie ferrée, j'ai craqué une allumette sur ma jupe et aspiré une bouffée de ma pipe. J'étais partie sur un coup de tête, poussée par la colère et par le besoin de secouer la passivité qui avait gagné la communauté. Pointe-Bleue vivait dans l'attente que quelque chose survienne. Mais la vie filait comme les grains dans un sablier alors qu'autour de nous tout s'accélérait.

L'arrivée du train m'a tirée du sommeil. Les rails crissaient sous le poids du monstre d'acier. La locomotive crachait des nuages de suie qui salissaient le ciel. J'ai ramassé mon sac et j'ai sauté à bord. Le wagon était pratiquement désert. Je me suis installée près de la fenêtre. Le train s'est aussitôt remis en marche. Les turbines à vapeur hurlaient. Bientôt, nous filions entre le lac et les champs. Au loin se dessinait la ligne des arbres.

Le tracé s'arrêtait dans chaque village. Le wagon se remplissait peu à peu de voyageurs. Passé Desbiens, le chemin virait à droite et prenait la direction du sud. Devant, les montagnes se profilaient.

La joue collée à la vitre, je regardais défiler des paysages familiers. Les rails suivaient les anciens sentiers innus. De vastes portions de la forêt avaient été bûchées et la vision de ce territoire transformé en savane aride me fracassait le cœur. Où étaient allés les animaux ? Les avait-on eux aussi parqués dans des réserves ?

Épuisée et bouleversée, je me suis endormie. Il faisait noir quand le crissement des freins m'a réveillée. Nous roulions maintenant à petite vitesse au milieu de faubourgs où devaient vivre des centaines de personnes. Je pouvais distinguer, à gauche, l'éclairage du port de Québec et, devant, la gare.

Je n'avais jamais rien vu de pareil. Avec ses tours cylindriques surmontées d'une toiture de cuivre terni en pointe, le bâtiment s'apparentait à un château médiéval comme en décrivaient les livres que je lisais autrefois à mes enfants sous la tente. Au loin se profilait un cap de roc au sommet duquel les lumières de la ville dansaient. Le train a pénétré à l'intérieur de l'imposante installation et nous nous sommes retrouvés dans une immense galerie couverte, où il s'est immobilisé.

« Terminus. Tout le monde descend ! » a crié un employé portant un képi et un costume croisé orné de boutons dorés.

Les passagers se sont dressés d'un bond et ont commencé à ramasser leurs affaires. J'ai patienté jusqu'à ce que les wagons se vident. J'ai pris mon sac et je suis sortie à mon tour.

Le hall de la gare était une salle monumentale dont le plafond voûté en tuiles semblait posé sur de hauts murs de brique. De belles mosaïques décoraient le sol de marbre. Je me suis écrasée sur un banc de bois. J'ai mangé un peu de viande séchée et j'ai attendu que le jour se lève.

LE CHEF

La lumière qui pénétrait par les verrières m'a réveillée. Le hall baignait dans la clarté matinale. Je me suis mise en route.

La gare faisait face à un imposant cap de roc. J'ai emprunté une montée abrupte qui passait devant un hôpital presque aussi gros que celui de Roberval et qui rejoignait une rue animée.

Des camions de livraison déchargeaient leurs marchandises destinées aux nombreux commerces. Je suis entrée dans un petit restaurant. L'intérieur faisait penser à une grotte creusée dans le roc. Je me suis installée près de la fenêtre. La serveuse, une femme énergique d'une cinquantaine d'années, m'a dévisagée longuement, se demandant sans doute ce que cette vieille Indienne venait faire là. J'ai commandé du pain grillé et du thé, que j'ai bu à petites gorgées. En fermant les yeux, je pouvais presque m'imaginer chez moi. Le thé a toujours eu sur moi cet effet apaisant.

J'ai interrogé la serveuse, qui m'a montré le chemin à prendre. En suivant ses indications, j'ai marché vers l'ouest entre les rangées de jolies habitations de pierres. Une fois passées les fortifications, le parlement du Québec m'est apparu à gauche, immense édifice au milieu d'une large esplanade. Il y avait à l'entrée une sculpture avec un Indien dans un costume étrange comme je n'en avais jamais vu.

À l'intérieur, un employé m'a aidée et j'ai vite trouvé ce que je cherchais. La porte était ouverte et je me suis dirigée vers une femme assise derrière un bureau. Vêtue d'un tailleur rose, elle avait un visage austère et les cheveux courts. Ses lèvres minces et ses lunettes lui donnaient un air de professeur d'école. Je me tenais devant elle depuis un moment avant qu'elle se décide à lever les yeux pour me lancer un regard acéré.

« Qu'est-ce que je peux faire pour vous ? a-t-elle demandé de sa voix sèche.

— Je veux voir Maurice Duplessis. »

La femme a froncé les sourcils. Elle a pris le temps de me détailler de haut en bas.

« Je n'ai pas vu de rendez-vous dans l'agenda du premier ministre, a-t-elle dit en faisant mine de consulter un grand cahier.

— Il faut que je lui parle. C'est important.

— Je suis désolée, madame. M. Duplessis est un homme très occupé… »

Je l'ai interrompue.

« Écoutez-moi, madame, je suis venue de Pointe-Bleue pour lui parler. Je ne bouge pas d'ici tant que je ne l'ai pas fait.

— De toute façon, M. Duplessis est absent.

— Je vais l'attendre. »

Je me suis installée sur un des fauteuils au fond de la salle d'attente, mon sac sur les genoux.

« Comme vous voulez, mais je vous préviens, vous perdez votre temps. »

Elle a insisté sur le dernier mot. J'ai serré les lèvres. J'ai sorti un des romans que j'avais apportés et je m'y suis plongée.

Il se passe peu de choses dans l'ambiance feutrée d'un bureau de premier ministre, où ne se trouvent que des gens bien mis. La secrétaire répond au téléphone de temps en temps. Elle écrit à la machine, met à la poste des lettres qu'un garçon vient chercher.

J'avais l'habitude d'attendre. La patience est une vertu pour un chasseur. Mais à 17 heures, la femme a ramassé ses affaires, s'est levée et s'est approchée.

« On ferme. Je vous l'avais dit. M. Duplessis est absent. »

Je me suis redressée, j'ai pris mon sac et je suis sortie. Je me sentais lasse. J'ai longé la fortification vers le sud et je me suis installée sur l'herbe dans un coin isolé. J'ai étendu une couverture de laine. J'avais de quoi manger : de la viande séchée, des bleuets et de la bannique. Ensuite, je me suis couchée sur la pelouse. Dormir à la belle étoile, j'en avais l'habitude.

Le lendemain matin, je suis retournée au parlement dès 9 heures. La secrétaire de Maurice Duplessis ne m'a pas saluée quand je me suis assise sur la même chaise au fond. J'ai plongé la tête dans mon livre. Des hommes entraient et sortaient avec des porte-documents. Aucun ne ressemblait à Duplessis.

Combien de temps allais-je devoir attendre ? Il n'était pas question de rentrer sans lui avoir parlé. Même si, depuis l'adoption de la Loi sur les Indiens, nous dépendions du gouvernement fédéral, j'avais la certitude qu'une personne comme Maurice Duplessis pourrait nous aider.

Chez nous, personne n'avait essayé de me convaincre de renoncer à mon projet. Tous savaient que cela ne servait à rien.

À la même heure que la veille, la secrétaire s'est levée et elle a ramassé ses affaires. J'ai déambulé un peu dans la ville, marchant sur les trottoirs au milieu d'une foule nombreuse. Certains restaurants avaient disposé des tables dehors et les gens soupaient en plein air, ce qui me semblait assez charmant comme idée. J'ai marché jusqu'au château Frontenac, un édifice encore plus imposant que la vieille gare et qui m'a rappelé l'ancien hôtel d'Horace Beemer à Roberval. Depuis la vaste terrasse surplombant le fleuve, je voyais se dessiner les montagnes de Nitassinan.

Je suis retournée passer la nuit près du mur fortifié. Observant les étoiles dans le ciel, le cœur lourd, je pensais à Thomas, là-bas dans le bois, qui ignorait ma présence ici.

Le troisième jour, la secrétaire m'a regardée avec un brin d'exaspération. Elle m'a quand même fait signe de m'approcher.

« M. Duplessis est de retour. Mais ne vous faites pas d'illusions. Son horaire demeure très chargé. Il a des rendez-vous toute la journée.

« — Je ne pars pas sans lui avoir parlé. Dites-le-lui, s'il vous plaît. »

Elle a haussé les épaules. J'ai retrouvé ma place au fond.

Au bout d'une heure, un homme est entré d'un pas pressé. De taille moyenne, le dos légèrement courbé, il avait un profil d'aigle. Il a saisi le document que lui tendait la femme et s'est engouffré dans le bureau. S'agissait-il de lui ? Comment en être sûre ? Tout ce que j'avais vu de Maurice Duplessis, c'était des photos dans les journaux. Personne n'avait de télévision dans les années 1950 à Pointe-Bleue et les politiciens ne prenaient pas la peine de venir par chez nous.

Le temps passait avec une lenteur de plus en plus douloureuse. Et le défilé des hommes en complet sombre avec leur air préoccupé dans la salle d'attente se poursuivait. Ils avaient sans doute tous des dossiers importants à régler. Plus que la vie de jeunes Innus perdus sur une réserve éloignée. Mes forces commençaient à m'abandonner, pourtant je refusais de renoncer.

À 17 heures tapantes, la secrétaire a ramassé ses affaires. Je n'avais pas revu l'homme au nez aquilin. De toute évidence, j'avais péché par orgueil en pensant convaincre quelqu'un comme Duplessis de s'intéresser au sort des miens.

J'ai erré dans la ville, marchant sans but. Puis je suis retournée sur la terrasse du château Frontenac. Malek m'avait raconté autrefois que les Innus venaient jusqu'à Québec pour vendre leurs peaux. Et avant l'arrivée des Français, ils y commerçaient avec d'autres nations, dont les Mohawks. J'essayais d'imaginer ce pays avant. C'était difficile. En bas de la falaise, la pierre et le béton prenaient toute la place. On ne voyait ni arbres ni plage. Dans le port mouillaient de gros bateaux qui crachaient dans le ciel des nuages sombres. Les habitations s'avançaient jusqu'à l'eau.

Au nord, une usine de papier occupait la rive. Dans la cour, des montagnes d'arbres aux troncs dénudés attendaient de passer dans les machines qui les réduiraient en pâte. Le bois de chez nous finissait de cette triste façon.

En bas, les faubourgs s'étendaient à perte de vue. Combien de personnes vivaient entassées dans ces maisons collées les unes aux autres, formant une masse compacte et grouillante ? Voilà donc le progrès et ses cheminées fumantes.

Les montagnes à l'horizon me rappelaient que Nitassinan existait encore pour celui qui sait le voir. En suivant le courant, on tombe sur nos villages, Essipit, Pessamit, Uashat Mak Mani-Utenam, Ekuantshiu Ministuk, Natashquan, Unamen-Shipu, Pakuashipi, Shehatshiu, Natuashish. En remontant les rivières, on arrive à Matimekosh, Kawawachika-mach et Pointe-Bleue, Mashteuiatsh dans notre langue.

La nuit venue, je suis retournée vers mon coin près du mur. Étendue sur la couverture de laine, je regardais les étoiles au-dessus de moi. Elles me rassuraient.

Le lendemain, je me suis levée plus épuisée qu'au coucher. Je me faisais vieille.

La secrétaire m'a ignorée. Sans doute me prenait-elle pour une folle. Je l'étais probablement. Mais le souvenir de nos enfants morts restait plus fort encore que mon désir de retrouver les miens. La femme tapait à la machine sans s'arrêter. Le cliquetis de ses doigts sur le clavier emplissait la pièce et je me suis assoupie, bercée par cette musique. J'ignore combien de temps j'ai dormi, mais un bruit de pas pressés m'a réveillée. L'homme au nez d'aigle est passé avec deux individus à l'allure servile dans son sillage. Il m'a de nouveau jeté un coup d'œil curieux avant de s'engouffrer dans son bureau.

La conversation s'animait et on pouvait entendre des éclats de voix traverser l'épaisse porte de bois verni. D'autres hommes sont entrés à leur tour. Au bout de quelques heures, tout le monde est sorti à l'exception du patron. Ils discutaient à voix basse. Aucun ne souriait.

Les heures s'écoulaient et je me préparais à repartir quand la secrétaire m'a fait signe. Je me suis précipitée.

«Le premier ministre va vous recevoir.»

Elle m'a souri. Mon cœur s'est serré.

DÉCLINS

À mesure que le train s'éloignait de la ville, les maisons s'espaçaient, laissant peu à peu place aux champs, puis enfin à la forêt. Les rails se faufilaient entre les montagnes et, au fil des kilomètres, la nature déployait sa beauté austère.

J'étais de retour chez moi au milieu de ces parfums de bois et de sapinage qui me ramenaient à Thomas et aux miens.

La rencontre avec le premier ministre n'avait duré que quelques minutes. Duplessis écrivait quand j'ai pénétré dans son cénacle et, sans lever la tête, il m'a fait signe de m'asseoir sur l'une des chaises devant son bureau. La lumière entrait par la fenêtre et se jetait sur des murs lambrissés. Il régnait dans la pièce une ambiance de tranquillité qui tranchait avec l'idée que je m'étais faite de l'homme.

Quand il a eu fini, le premier ministre a posé sa feuille de papier devant lui. Il a enfin relevé la tête. Son visage paraissait plus doux que sur les photos. Ses traits étaient harmonieux, sauf pour le nez, aiguisé comme le bec d'un aigle, des sourcils en arc surmontaient des yeux brillants d'intelligence. Il avait lissé ses cheveux sur le côté et sa moustache taillée avec soin soulignait ses lèvres fines. Une fossette sur le menton lui donnait un air suave.

Maurice Duplessis s'est reculé sur sa chaise et a glissé ses deux pouces à l'intérieur de la veste qu'il portait sous son veston. Personne n'avait jamais posé sur moi un tel regard de rapace.

« Qu'est-ce que je peux faire pour vous, madame ? » a-t-il dit d'une voix graveleuse.

Je lui ai expliqué le but de ma visite. Je lui ai parlé de ces Blancs qui venaient sur la réserve, de leurs grosses autos et des morts d'enfants. Il m'écoutait avec attention, et je garde de cette scène d'un homme vêtu d'un complet trois-pièces foncé, chemise immaculée, pressée, cravate grise nouée autour du cou, face à l'Indienne aux longues jupes avec un béret enfoncé sur la tête, une impression étrange.

« Les Indiens sont les pupilles du gouvernement fédéral, comme vous le savez. Je n'ai guère d'autorité en cette matière. »

Mais j'ai insisté.

« Le gouvernement fédéral ne s'intéresse pas à nous. Et Pointe-Bleue, à ce que je sache, est située au Québec. À six kilomètres de Roberval, pour être précise, qui comme vous le savez mieux que moi est un comté de l'Union nationale. »

Duplessis a sourcillé, un sourire en coin.

« Comment êtes-vous venue jusqu'ici ?

— Le chemin de fer passe à côté de chez nous.

— Ça fait une sacrée trotte. »

J'ai haussé les épaules.

« Pas tant que ça. »

Le premier ministre m'a posé des questions sur Pointe-Bleue, mais je ne savais pas trop quoi lui répondre. Comment expliquer à un homme comme lui, travaillant dans un édifice comme le parlement et vivant dans une suite du château Frontenac, la vie pour les Innus de Pekuakami maintenant? Comment raconter la mélancolie qui rongeait nos cœurs? Pour les individus comme Maurice Duplessis, notre monde était révolu. L'avenir appartenait aux compagnies.

Quand nous nous sommes quittés, il m'a serré la main. Sa secrétaire m'a souhaité bon retour. Dehors, à côté de la sculpture représentant une famille d'Indiens à demi nus, j'ai laissé le soleil déclinant dorer un peu ma peau pour me donner des forces.

Le train filait à vive allure, tiré par l'un de ces nouveaux modèles de locomotive à diesel. Un train moderne au milieu d'une forêt ancienne.

À Pointe-Bleue, rien n'avait changé. Des enfants jouaient dans les rues désertes. Le vent soulevait le ventre du lac au large et les vagues venaient se jeter sur la plage avec fracas. Marie et Christine fumaient près d'un feu. Elles m'ont entourée de leurs bras et m'ont servi du thé Salada.

Je leur ai raconté mon voyage. Elles s'intéressaient en particulier à la traversée de ce qui s'appelait maintenant le parc des Laurentides, qu'elles avaient souvent visité au temps de leur jeunesse. Je leur ai décrit le parlement, le bureau du premier ministre et sa singulière secrétaire. Les maisons de pierre et les hauts murs de la citadelle ceinturant la ville, les faubourgs populeux et les usines crachant leurs nuages dans le ciel. Une aussi grande quantité de personnes vivant au même endroit leur paraissait difficile à imaginer.

Anne-Marie, Virginie et leurs enfants nous ont rejointes et j'ai continué mon récit. Je leur ai parlé de la somptueuse terrasse du château Frontenac, du fleuve, fort et tranquille, coulant à ses pieds vers Nitassinan. Virginie nous a appris que Thomas et les autres prévoyaient revenir bientôt de la pour-voirie, ce que tous ont accueilli avec joie. Entourée des miens, j'ai mangé de la soupe à la perdrix et du lièvre grillé face à Pekuakami. En fermant les yeux, je pouvais m'imaginer au Péribonka. Quand on vieillit, les souvenirs deviennent des trésors.

Quelques semaines plus tard, des camions trans-portant de lourds chargements de bois ont débarqué à Pointe-Bleue. Des ouvriers en sont descendus et ont commencé à vider leur cargaison. Les gens, curieux, sortaient de leurs maisons.

Les hommes se sont mis à l'ouvrage. Le chant des scies et des marteaux a résonné. Quelques semaines plus tard, ils avaient terminé. Les rues de terre battue de la réserve de Pointe-Bleue se transformaient tou-jours en rivières de boue quand il pleuvait. Désor-mais, de chaque côté, de larges trottoirs permettaient aux piétons de circuler au sec et, surtout, en sécurité.

CERCLE

Dans les années 1950, ils ont fini par fermer le pensionnat catholique de Fort George, où ils envoyaient nos enfants. Après trente ans, le mal était fait. Seuls les aînés parlaient encore l'innu-aimun. Ils le faisaient entre eux, entre vieux, comme disent les Blancs.

Les anciens pensionnaires sont devenus des adultes. Ils ont eu des enfants. Mais le pensionnat qui avait essayé de tuer l'Indien en eux ne leur avait pas pour autant appris à être des parents. Il ne leur avait laissé que la douleur dans le cœur et la peur dans le ventre. Leurs enfants ont grandi auprès de parents en colère.

Quelques années après avoir fermé le pensionnat de Fort George à la Baie-James, ils ont poussé l'audace jusqu'à en ouvrir un autre ici, à Pointe-Bleue. Ils y envoient cette fois les jeunes Attikameks pour s'assurer qu'à leur tour ils soient bien loin de chez eux, coupés de leurs familles et de leurs racines. Les enfants arrivent par train de Wemotaci, de Manawan ou d'Opitciwan, des communautés éloignées. Ils débarquent avec le même regard effrayé qu'avaient les nôtres quand les avions venaient les chercher.

On entend toutes sortes d'histoires sur ce qui s'y déroule, comme celles de pensionnaires, garçons et filles, agressés par les prêtres. Chez nous, à l'époque, beaucoup de parents n'avaient pas cru leurs enfants quand ils racontaient les horreurs que les pères blancs leur infligeaient à Fort George. Les Innus, si croyants, ne pouvaient imaginer que des prêtres puissent abuser ainsi de petits sans défense. Mais cette fois, cela se passe chez nous, pourtant personne n'ose bouger. Qui nous entendrait, de toute façon?

À Pointe-Bleue, les enfants portent des vêtements achetés au commerce, les gens vivent maintenant dans des maisons équipées du chauffage central et de l'eau courante, sauf la mienne. Le vieux tonneau et sa tasse de zinc cabossée accrochée à une corde me suffisent encore.

Mais une fois qu'on a ressenti la colère, la tristesse aussi peut-être, cela ne nous quitte plus jamais. On apprend à vivre avec. C'est peut-être maintenant ce qui fait de nous des Innus. Malheureusement.

Venir me réfugier au lac, comme ce matin, m'apaise, car il me rappelle qui nous avons été et qui nous sommes toujours. Le vent de l'est porte les parfums du Péribonka. Tant que tout cela existe dans mon cœur, cela vit encore.

Pekuakami. Parfois, je me dis que c'est toi qui m'as gardée vivante et qui m'as insufflé la force de traverser ces épreuves placées sur mon chemin par le destin.

Pekuakami. Ta surface lisse se mêle à l'horizon ce matin, le soleil s'y mire comme dans une glace, et ce miroir me renvoie à tous mes souvenirs.

Grand-mère, voilà comment mes petits-enfants et mes arrière-petits-enfants m'appellent. Voilà ce que je suis devenue, moi qui rêvais d'être *kukum*. Parfois, je m'inquiète pour eux. Le monde d'aujourd'hui est plus cruel que celui que tu m'as offert en cadeau, Thomas.

Au village, on parle d'enseigner l'innu-aimun à l'école et je vois dans le regard des petits la même fierté qui brillait dans celui de Malek, de Daniel, de Marie, de Christine. Cela me donne espoir. Vous m'avez tous quittée l'un après l'autre, et mon temps à moi aussi achève, car avec les années on devient la somme de toutes ces blessures, qui nous tuent peu à peu...

Thomas, tu es parti sans prévenir, par un matin glacial où la maladie qui te rongeait les poumons a fini par t'emporter dans un grand coup de vent, me laissant seule près de ton corps froid. Vingt ans déjà. Je ne peux croire que j'ai vécu toutes ces années sans t'embrasser. Je n'ai jamais pu combler le vide laissé par ton absence.

Pourtant, ici, en ce moment même, quand je ferme les yeux et gonfle mes poumons des parfums marins du lac, je sens ta main sur ma joue. Elle glisse sur ma nuque, caresse mon corps avec tendresse, me presse contre toi. Le sel de ta peau, tes muscles tendus, tout ton être tremblant, fébrile. L'abandon. Le vertige. M'aimer. Fort. Jusqu'à la fin.

M'abandonner a été ta seule trahison, Thomas. Mais tu avais raison, mon amour. La vie est un cercle. Et il me ramène à toi. Toujours.

Almanda Siméon devant sa maison.

Cobh (Queenstown), Irlande, 1875

La malle contenait tout ce qu'ils possédaient désormais, et John Carmichael ployait sous l'effort. Le charretier l'aida à la soulever et à la transporter. Son bébé dans les bras, Abbie s'assit à côté de son mari. Elle jeta un dernier coup d'œil derrière elle. Des planches de bois recouvraient les fenêtres de leur boutique. Le cœur de la jeune femme se serra.

« Hue ! »

Le fouet claqua dans l'air et le cheval, docile, se mit en marche. La charrette avançait avec lenteur dans les rues défoncées et presque désertes. Ils passèrent devant les volets déglingués et les façades abîmées, comme beaucoup d'autres qui les avaient devancés et avaient tenté leur chance ailleurs.

Abigail et son mari avaient longtemps refusé de partir. Ils partageaient l'amour des beaux tissus et avaient espéré que le sens des affaires de John et les doigts de fée de sa femme leur permettraient de traverser la crise. Des signes encourageants avaient commencé à apparaître et laissaient entrevoir un avenir plus facile. L'épidémie qui avait ravagé pendant une décennie les récoltes et provoqué une famine sans précédent s'était enfin résorbée. Mais, exsangue, l'Irlande peinait à se relever et la misère régnait partout encore.

La mort dans l'âme, les Carmichael avaient dû, comme tant d'Irlandais avant eux, se résoudre à fermer leur commerce et tout abandonner pour recommencer de l'autre côté de l'Atlantique. Abigail avait hésité à cause de son enfant, qui n'avait que trois ans.

« N'est-il pas trop jeune pour ce voyage, John ?

— Vois autour de nous, Abbie, avait-il dit en plongeant son regard bleu dans le sien. Les gens meurent de faim. Il faut partir au plus vite. »

Ils avaient vendu leurs ultimes étoffes et le peu de meubles qu'ils possédaient pour payer le voyage. Abbie avait fabriqué des vêtements chauds pour l'enfant afin de le protéger du froid sur ce continent qu'on disait sauvage. Elle avait passé les jours précédents dans une grande excitation à tout préparer et, maintenant qu'elle était assise dans la charrette, la situation lui paraissait irréelle. Elle avait souhaité un autre destin, mais le malheur n'épargnait personne en ces temps de misère en Irlande.

Une activité fébrile régnait dans le port. Des navires à vapeur, leurs cheminées crachant des nuages de suie, et des bateaux à voile se côtoyaient. Sur les ponts, les équipages se démenaient. Les derniers passagers montaient, plusieurs d'entre eux avec pour seul bagage les vêtements qu'ils portaient. Le vieux voilier qui devait les emmener attendait accosté au bout du quai, face à une rangée d'habitations serrées les unes contre les autres. Il fallait se dépêcher. Le charretier aida John à charger leur malle sur le pont. L'homme au visage gris les salua. Il avait vu tant de voyageurs embarquer.

Les marins larguèrent les amarres et le vent s'engouffra dans les voiles, les faisant claquer. John tenait son enfant dans les bras et sa femme contre lui. La ville où ils avaient vécu s'éloignait peu à peu. Sa famille, aussi loin qu'il s'en souvienne, avait toujours commercé. Cela leur avait permis de survivre pendant la famine. Mais, depuis 1845, des centaines de milliers d'Irlandais avaient quitté leur pays, chassés de chez eux par la faim, et un grand nombre de ceux-ci étaient passés par Cobh. L'activité portuaire avait nourri l'économie pendant un temps, mais les affaires avaient périclité.

Après avoir vu tant de gens partir, John Carmichael s'était résolu à tenter sa chance à son tour. La silhouette massive de la cathédrale Saint-Colman, en construction sur une colline d'où elle dominait le quai, fut la dernière image qu'il garda de sa terre natale.

Le voilier descendit le fleuve Lee puis mit le cap sur l'ouest, poussé par un vent de dos. On leur avait dit que la traversée durerait de cinq à neuf semaines. Les bateaux à vapeur le faisaient en moins que ça, mais ils n'avaient trouvé de la place que sur celui-ci. Abbie, tenant dans ses doigts la croix qui pendait à son cou, se pressa contre son mari. Le cœur gros, elle et lui regardaient la côte d'Irlande disparaître peu à peu à l'horizon, conscients que jamais ils ne reverraient leur terre natale.

Les compagnies transatlantiques qui transportaient le bois du Canada vers l'Angleterre embarquaient souvent, au retour, les émigrants irlandais qui s'entassaient dans des cales insalubres. John et sa famille voyageaient sur un vieux trois-mâts qui craquait de toutes parts au milieu des flots. Les Carmichael s'installèrent dans l'entrepont, parmi les autres voyageurs. John se demandait s'il avait eu raison d'entraîner sa femme et sa fille unique dans cette aventure. Mais quel autre choix s'offrait à lui ?

La vie à bord du voilier s'avéra vite difficile. Trois cents passagers, entassés dans le ventre du vieux vaisseau, étouffaient dans la demi-obscurité. Une odeur pestilentielle envahit l'étage, dépourvu d'installations sanitaires. La puanteur du bateau s'imprégnait jusque dans la chair des voyageurs.

Au bout d'une semaine, le vent d'ouest, qui jusque-là les avait poussés à bon rythme, tomba. Le navire dérivait sur une mer d'huile. L'humidité, à peine supportable, et la chaleur minaient le moral. Tout le bateau suintait.

Le premier à tomber malade fut un homme âgé, déjà affaibli. Une forte fièvre le submergea, le forçant à demeurer couché. Bientôt, des marques rouges apparurent et se répandirent sur tout son corps. Tous reconnaissaient les symptômes de la terrible maladie qui avait causé tant de ravages en Europe. Le voyageur mourut peu après, et on jeta son corps à la mer. Mais le typhus avait fait irruption à bord et la panique se propagea dans tous les cœurs. Quand elle le pouvait, Abbie emmenait son enfant sur le pont. Elle espérait que l'air du large purgerait ses poumons et le préserverait. Mais le capitaine obligeait les passagers à rester dans l'entrepont, où de plus en plus de personnes tombaient malades.

Abbie sentit sa gorge se nouer quand elle vit les premières taches sur la peau de son mari. John, indisposé depuis quelques jours, n'avait pas voulu inquiéter sa femme et avait caché son état. Abigail, en tenant sa croix, pria le Ciel de sauver John, mais les marques couvrirent tout son corps. La fièvre l'emporta une nuit noire. Abbie pleura en étreignant l'homme auprès duquel elle avait connu tant de bonheur malgré les difficultés. À l'aube, elle regarda, impuissante, les marins jeter son corps dans l'océan.

Après quatre semaines d'une attente insoutenable, le vent revint et le voilier put filer sur la mer houleuse. D'autres cas de typhus se déclarèrent, puis l'épidémie se calma, comme si l'air frais du large avait chassé la maladie. Au bout de neuf semaines, la côte apparut. Un grand cri retentit sur le pont.

Bientôt, le navire avança entre deux lignes d'arbres. Au sud, Abbie aperçut des villes et des villages entourés de champs. Au nord, une forêt de conifères formait une palissade impénétrable. Quel était cet étrange pays où ils arrivaient exténués, et pourtant remplis d'espoir?

Le bateau jeta l'ancre à Grosse-Île. La quarantaine était obligatoire pour les immigrants. Après la douche et un nettoyage en règle, les passagers furent conduits à leur logement. Abbie et son enfant s'installèrent dans une petite chambre propre. La lumière qui entrait par la fenêtre la réconfortait. John lui manquait. Il aurait aimé ces paysages de collines vertes entourées d'eau, qui rappelaient leur patrie.

Pour les repas, Abbie se rendait sur la plage, allumait un feu pour cuisiner les rations qu'on lui fournissait. La jeune femme se sentait renaître peu à peu près de ce cours d'eau immense qui exhalait des parfums de sel et d'herbe. L'après-midi, elle marchait dans la forêt avec son enfant gambadant au milieu des arbres.

Chaque jour, les pensionnaires de Grosse-Île devaient se soumettre à une séance de lavage intensif et à un examen médical. Au cours de l'une de ces inspections quotidiennes, le médecin découvrit des taches dans le dos de la jeune femme. En entendant le diagnostic, Abbie eut l'impression que quelque chose comme un poing cognait dans son ventre. La nuit l'aspirait.

On la conduisit avec son enfant dans une autre aile, celle des malades, lugubre avec ses murs lépreux et son mobilier sommaire. Une violente fièvre la foudroya. Abbie glissait. John lui apparaissait parfois dans son délire et elle lui tendait les mains. Mais son mari n'entendait pas ses appels et la peur la gagnait peu à peu. Ses dernières forces l'abandonnaient, elle respirait avec difficulté. Dans un ultime effort, elle chercha le visage de sa fille et ses yeux du même bleu clair si apaisant que ceux de John.

« Qu'ai-je fait ? Pourquoi t'ai-je amenée ici ? Qu'adviendra-t-il de toi, mon enfant, dans ce pays sauvage ? Qu'adviendra-t-il de toi, Almanda ? »

MOT DE L'AUTEUR

Almanda et Thomas reposent côte à côte au cimetière Kateri Tekakwitha. Il y a une faute d'orthographe sur la pierre tombale de mon arrière-grand-mère. Quelqu'un y a écrit «Amanda». L'erreur vient sans doute du fait que tout le monde à Mashteuiatsh l'appelait Manda. Quand j'étais plus jeune, cela m'irritait. Comment avait-on pu se tromper sur le nom d'une femme morte à quatre-vingt-dix-sept ans? Mais aujourd'hui, cela me fait sourire. Jusqu'à la fin, la question de ses origines aura prêté à confusion.

Il existe en effet plusieurs versions sur l'ascendance de ma *kukum*. Certains affirment qu'elle est née à Nitassinan, d'une mère innue. Que son père, un Canadien, a épousé en secondes noces une Irlandaise, ce qui aurait entraîné la méprise. Toutes ces histoires se valent. J'ai retenu celle que ma mère m'a racontée depuis mon enfance.

À l'écart du village, le cimetière est situé le long de la rue Mahikan, sur le flanc d'une colline qui s'élève avec douceur face à Pekuakami. Une petite clôture en grillage métallique le sépare des arbres qui l'entourent. Un muret de pierres ouvert en son centre sur un chemin de terre le borde. On a planté des cèdres de chaque côté de la porte et laissé quelques arbres.

Ce n'est pas un de ces cimetières à la beauté austère, où les badauds aiment marcher dans une ambiance propice au recueillement ou que des touristes recherchent pour leur charme solennel. La clôture vacille, les arbres sont mal taillés et les pissenlits se mêlent à la pelouse. Au milieu des pierres tombales de granit gris ou noir, disposées sans ordre, des croix de bois plantées dans le sable rappellent la mémoire des femmes, des hommes et des enfants morts et enterrés en territoire. Comme mon grand-oncle Ernest.

La calme majesté qui règne en ce lieu sacré s'accorde bien avec l'esprit innu et on s'y sent apaisé comme au milieu de la forêt boréale.

Personne ne sait ce qui est arrivé à la petite Julienne Siméon après qu'elle eut été envoyée à Montréal. Personne ne sait de quoi elle souffrait. Un secret de plus. Sa sœur Jeannette a découvert il y a quelques années qu'elle avait été enterrée dans une fosse commune au cimetière de Kahnawake. Jeannette avait rapporté des pierres de l'île de Fort George. Elle les y a enterrées et a érigé un petit mausolée à la mémoire de sa sœur.

Les souvenirs que je garde d'Almanda Siméon sont d'abord ceux d'une femme chaleureuse. Elle souriait beaucoup. Son regard brillait. Elle était curieuse, heureuse de nous voir, nous, ses arrière-petits-enfants nés à Alma, loin d'elle.

Lors d'une visite à Pointe-Bleue, comme on l'appelait encore à l'époque, quelqu'un a pris une photo. Je m'y vois, souriant derrière mes frères et un cousin.

L'auteur et sa famille à Mashteuiatsh.

Avec ma mère et ma grand-mère, nous nous serrons tous contre Almanda. Quatre générations de Siméon fixent le même objectif. Almanda se tient droite. C'est le printemps, elle porte de grosses bottes de caoutchouc et cette jupe au tissu rêche sur laquelle elle avait l'habitude de craquer une allumette pour allumer sa pipe. Nous sommes à côté de sa petite maison en face du chemin de fer. Derrière, on voit l'ancien presbytère, aujourd'hui disparu.

Dans un atelier jouxtant la maison, Gérard, le plus jeune fils d'Almanda, était occupé ce jour-là à construire un magnifique canot d'écorce qui m'avait fait grande impression.

Sur la photo, la blondeur des cheveux de mon plus jeune frère, Nicholas, et de notre cousin Luc frappe. La pâleur héritée d'Almanda. Les cheveux de mon frère Érick et moi sont noirs comme ceux de Thomas. Les visages ovales, les lèvres charnues sont aussi ceux des Innus. Mais j'aime croire que c'est d'elle que j'ai hérité le goût des livres, peut-être aussi l'esprit d'aventure qui m'a si bien servi dans mon métier de journaliste, ainsi que cet attachement profond à ces racines plantées dans l'humus et le sable.

Depuis que cette photo a été prise, les choses ont beaucoup changé dans la communauté. Le nom de Pointe-Bleue a été abandonné en 1985 pour Mashteuiatsh, qui signifie «Là où il y a une pointe». Les plaies laissées par la colonisation guérissent peu à peu, mais les cicatrices restent visibles. Rien, je le crains, ne pourra les effacer tout à fait. Il faut apprendre à vivre avec elles et c'est un long sentier.

La petite maison d'Almanda est encore là, elle, au pied de la colline, près du chemin de fer, en face du lac. J'y retourne chaque fois que je passe par Mashteuiatsh. Elle a été rénovée et agrandie. Il y a l'eau courante maintenant. Des membres de la famille l'habitent toujours.

Mon éditrice et amie Johanne Guay m'a fait un jour la remarque que tout ce que j'écrivais tournait autour de la question de l'identité. Je ne l'avais jamais réalisé. Je me suis demandé pourquoi. Pourquoi revenir sans cesse vers ce passé, vers cet héritage?

Sans doute à cause de la blessure produite par la coupure. En obligeant les femmes qui épousaient un Blanc à quitter la réserve, la *Loi sur les Indiens* cherchait à les assimiler. Mes frères et moi avons grandi en ville. Nous n'avons pas appris l'innu-aimun. Ils ont blanchi nos mœurs, mais qui peut oublier qui il est vraiment?

Pas moi.

Montréal,
3 février 2019

Restez à l'affût des titres à paraître chez Libre Expression en suivant Groupe Librex :
Facebook.com/groupelibrex

editions-libreexpression.com

Cet ouvrage a été composé en ITC New Baskerville 12,25/15
et achevé d'imprimer en août 2022 sur les presses
de Marquis imprimeur, Québec, Canada.